COSTUMBRISMO Y NOVELA

LA LUPA Y EL ESCALPELO

Colección de ensayos y estudios literarios sobre temas españoles, orientada por don Antonio Rodríguez-Moñino

COSTUMBRISMO Y NOVELA

Ensayo sobre el redescubrimiento
de la realidad española

por

JOSÉ F. MONTESINOS

SEGUNDA EDICIÓN

EDITORIAL CASTALIA
La lupa y el escalpelo, 1
MADRID

© José F. Montesinos, 1960
Editorial Castalia, Zurbano, 39, Madrid. España

PRINTED IN SPAIN

DEPÓSITO LEGAL: V. 2.266 - 1965
NÚM. RGTRO.: V. 810 - 65

ARTES GRÁFICAS SOLER, S. A. - JÁVEA 30 - VALENCIA (8) - 1965

NOTA PRELIMINAR

El presente libro es quizá el primero en fecha entre los estudios sobre la novela y los novelistas españoles que he ido publicando en los pasados años y, más que ninguno de ellos, está necesitado de una explicación. Se escribía en Poitiers en 1944, casi al mismo tiempo del desembarco aliado en Normandía, entre bombardeos, horrores y privaciones sin cuento. Primeramente estuvo destinado a la instrucción de aquellos alumnos míos que preparaban la Agregación de español; bien pronto estaba claro para mí que era indispensable integrarlo en una historia de la novela cuyo plan iba madurando lentamente. Con la mejor intención del mundo, sería difícil extraer de las obras de los costumbristas relatos propiamente novelescos, aunque todos bordeen significativamente los linderos de la ficción. Pero esto era lo de menos. La novela del siglo XIX quiso ser y fue muchas cosas, entre otras, gran descubridora de Mediterráneos. Es increíble lo que el conocimiento del siglo XIX en historia, en geografía, en condiciones sociales de los pueblos, en mil otras cosas, debe a la novela; que ese conocimiento no fuera muy depurado no invalida la afirmación: aquello fue lo que llegó a saber el hombre medio, medido muy por alto. Cuando se afirma el nuevo realismo, la exploración de la circundante realidad menuda y el descubrimiento de las cosas que la constituyen fueron mérito relevante de aquellas obras, superior a veces a su calidad artística. Desde el punto de vista de la gran novela europea, un estudio atento de ese proceder es interesante; tratándose de la novela española, es inexcusable. Los que hayan leído mi Introducción a una historia de la novela *recordarán que una de las causas del tardo aparecer de la nuestra y del aluvión de traducciones que inunda nuestro país fue el deseo escapista romántico de hurtarse a la presión de las circuns-*

tancias, de eludir aquellas cosas que se consideraban triviales y por ende no podían ser poéticas. Sin un estudio de cómo ese humilde mundo de las cosas va atrayendo la atención del público o mereciendo su interés, no se comprendería el éxito de la novela realista, cuando tardíamente aparece, ni muchas de sus limitaciones.

Entre estos estudios novelescos míos, el que ofrezco ahora es el que ha sufrido menos cambios y transformaciones, tanto que, aparte el estilo y alguna nota suelta añadida aquí y allá, y no llegarán a la media docena, lo ahora impreso es mi texto de 1944. El que esto sea así se debe, paradójicamente, a la aparición de trabajos que hubieran debido hacerme más remiso en publicarlo. Esas publicaciones, que franquean material para mí inasequible en los tiempos a que me refería al principio, o emprenden tareas que yo no quise acometer. Creo poder prescindir ahora de algo de lo que contienen o suscitan, que, de conocerlo oportunamente, tal vez me hubiera desviado de mi recto camino; con todo, es deber mío mencionarlas. Me refiero sobre todo a la copiosa antología Costumbristas españoles, *de don E. Correa Calderón, y al excelente libro, tan penetrante y bien escrito, de doña Margarita Ucelay de Da Cal,* Los españoles pintados por sí mismos, *México, Colegio de México, 1951. De haber tenido yo a mano el primero en aquellos tiempos, no hubiera resistido la tentación de insistir más en el ingenuo precostumbrismo dieciochesco, y aún en algunas derivaciones novecentistas que nada tienen que ver con la novela, y hubiera hecho mal. Lo que aquí ofrezco no pretende ser una historia del costumbrismo; apenas algunas calas, para emplear una fórmula de Dámaso Alonso, en la indecisa esencia del género. De haber dispuesto antes del libro de la señora Ucelay, el capítulo sobre* Los españoles *hubiera sido más breve, pero, en sus líneas generales, no muy diferente de lo que ahora es. Entre el libro de la eximia autora y lo escrito por mí ocurren numerosas coincidencias, y no podía ser menos; pero el enfoque del tema es tan diferente, que las diferencias son mayores. La señora Ucelay se propuso —éste es el subtítulo de su libro— el estudio de un género costumbrista, el de la* fisiología; *yo también, pero no como tal género literario, sino siempre en su posible conexión con lo novelesco.*

La presencia de estos dos libros suprimía muchas de mis inhibiciones, en vez de fortalecerlas, como parecería lógico. Ellos me eximen del deber de penetrar más allá en la historia del costumbrismo y me permiten centrar mejor el punto de interés de mi estudio. Quizá hubiera sido mejor rehacer todo el trabajo, en vista de esos textos y de otros; pero ello, pasados tantos años, me hubiera impuesto una relectura para la que no me basta el ánimo. Tal como queda, este librito puede ofrecer, si no grandes novedades en la pesquisa de los hechos, algunos puntos de vista originales.

En ocasiones, como al tratar de Estébanez, me he visto en el caso de citar verdaderos cuentos y novelas en cuyo examen no he podido calar muy hondo para no perder el hilo. Hoy ya, gracias al libro de don Mariano Baquero Goyanes, El cuento español en el siglo XIX, *podría intentar una aproximación al cuento romántico, o a los que con él coincidieron en el tiempo, pero esta tarea no era de este lugar; si se hace, será objeto de otro estudio, como también las tímidas y no muy originales ideas sobre la esencia, las posibilidades y las técnicas de los nuevos géneros de fabulación.*

Berkeley, 16 abril 1959.

EL COSTUMBRISMO

I

Cabe discutir, y así se ha hecho, si el costumbrismo tiene o no afinidad estrecha con la novela. Todo depende del valor que se dé a los términos en discusión y de que se observe que siempre ha habido costumbrismo de varias clases, que las diferencias son a menudo menos de propósito que de resultado, pues son los temperamentos artísticos, como es natural, los que moldean materiales en sí indiferentes y les imprimen su definitivo carácter. Si Menéndez Pelayo hace al Cervantes de *Rinconete y Cortadillo* algo así como el primer inventor del cuadro de costumbres, que desde entonces "existe... con jurisdicción independiente de la novela y en formas variadísimas",[1] excluyéndolo por tanto de la "jurisdicción" de ésta en cierto modo, lo hace sin duda porque él y los hombres de su generación no conocen otras novelas que las ficciones más bien complejas, y el carácter novelesco de las obras se acentuaba o desaparecía para ellos según fuese la *acción* abundante o escasa. Si el cuadro de costumbres es aquél en que la "acción es poca o nula" y en que el interés "se cifra en la acabada y realista pintura de los héroes",[2] y si la novela lo es en la medida en que la ficción arrastra el interés, tendremos, en efecto, diferencias esenciales entre un género y otro. Pero ni la novela, ni el cuento, ni el cuadro de costumbres *son*, absolutamente, algo determinado. La definición de las

[1] Prólogo a Pereda, *Obras*, I, Madrid, Tello, 1884, pág. xxxvii.
[2] Ibíd.

novelas y de los cuadros de costumbres no puede ser otra que su historia, y esta historia nos asegura que unas y otros pueden ser de muchas maneras, que novelistas eminentes han escrito novelas de muy poca acción y superabundancia de detalles realistas, y que cuadros de costumbres puede haber y hay en que ocurran muchísimas cosas. Basta una ojeada a la obra de Fernán Caballero para convencerse de lo difíciles que son estos deslindes y acotaciones. Unas veces, la moda, al difundir un término genérico, ha unificado, o más bien, confundido, las labores de ingenios de muy vario temperamento y muy diferente poder creador, agrupando como homogéneas obras muy dispares entre sí; otras veces, un fenómeno contrario, al manifestarse en el decurso de un largo período, abarcando artistas que pertenecen a generaciones diferentes, ha conducido a un resultado exactamente opuesto. Basta ojear los dos compactos volúmenes de *Los españoles pintados por sí mismos,* basta comparar la obra de Mesonero con los primeros libros de Pereda para convencerse de una cosa y otra.

Pero aunque el costumbrismo nada tuviera que ver con la novela, ni aun con el cuento, varias razones de monta obligarían a incluir un estudio de sus caracteres y formas, por breve que sea, en una historia general de aquéllos. La más importante es que los costumbristas, antes de que hubiera novela entre nosotros, se aplicaron a la observación de una *realidad* que va a ser luego la de la gran novela del siglo XIX. La importancia del costumbrismo como educador de la sensibilidad y del gusto de novelistas y público es considerable. ¿Cómo explicar que desde Fernán Caballero se titulen "cuadros de costumbres" tantas obras novelescas, si no se ve en ello el resultado de una filiación, patente a todos, y si no se supone que esas "costumbres", que dan materia a ambos géneros, son aspectos de una misma realidad?[3] El cuadro de Mesonero tenía ya en

---

[3] Así vio Valera la filiación de nuestro *realismo,* y aunque las palabras que vamos a copiar son de un artículo de su vejez, merecen citarse aquí, sobre todo teniendo en cuenta lo poco que cambió don Juan en punto de doctrina literaria: "Algo como germen menudo había tenido ya en artículos de Larra, Estébanez Calderón y Mesonero Romanos. Después, pasando el breve cuadro a la novela extensa, tuvimos a Fernán Caballero, cuya importancia no taso..." (Sigue la acostumbrada repulsa del sentimentalismo ger-

sí cuanto cabía desear para que se desenvolviese en un cuento de costumbres contemporáneas; si él no lo realizó así plenamente fue porque sus dotes de creador nunca fueron grandes. Asunto de otro libro será notar cómo, inspirándose en él y siguiendo muchos de sus procedimientos, Pereda escribirá páginas que sería absurdo segregar de su obra de novelista.

Sea de ello lo que quiera, certísimo es que Mesonero publicó su *Panorama matritense* bajo la declaración expresa de que con él intentaba suplir la falta de una novela española moderna. Nada más curioso que ese prólogo en el que, cuando el aluvión de novelas traducidas alcanzaba su mayor violencia, cuando lo traducido no era ya de carácter sentimental o histórico y triunfaban en España Balzac y G. Sand, se declaraba la imposibilidad de una novela española contemporánea... por intolerancia del público. "La pintura... festiva, satírica y moral de las costumbres populares [esta pormenorizada cualificación de la "pintura" debe ser tenida muy en cuenta] había tenido, como toda tarea literaria, que refugiarse en el periódico y subdividirse en mínimas producciones para hallar auditorio; el mismo Cervantes, escribiendo en tal época, hubiérase visto precisado a reducir sus cuadros a tan pequeña proporción, y su inmortal novela, arrojada en medio de nuestra agitada sociedad, apenas habría conseguido lectores sino dispensándoles los capítulos a guisa de folletín."[4]

La explicación de estas extrañas confesiones está en el temple literario de Mesonero y en la educación que había recibido; en la influencia de Jouy, que sufrió como todos los costumbristas españoles, y en su deseo de hacer obra "castiza", enganchándose en la antigua tradición española. "Mas ¿cómo hacerlo...? La novela satírica de costumbres [nótesen siempre los adjetivos] al corte de la de *Gil Blas*, que era lo que más me seducía, estaba enterrada hacía dos siglos entre nosotros y no era dado a ningún escritor desente-

---

mánico de Fernán, y se termina la reseña con los nombres de Pereda, Galdós y la Pardo Bazán.) (Artículo sobre *El gusano de luz,* de Salvador Rueda, 1889, *Obras,* ed. Aguilar, II, pág. 772.)

[4] *Panorama matritense, Obras completas,* Madrid, Renacimiento, 1925, I, pág. 13.

rrarla... ante un público apasionado a la novela romántica de d'Arlincourt, o a la novela histórica de Walter Scott... Los cuentos y narraciones fantásticas, los sueños y alegorías a la manera de Quevedo, Espinel, Mateo Alemán y don Diego de Torres..., las *Cartas marruecas* de Cadalso y otras formas literarias adoptadas por escritores anteriores ...no eran ya propias de este siglo...; preciso era inventar otra cosa que no exigiese la lectura seguida del libro, sino que... fuese ofrecida en cuadros sueltos e independientes, valiéndose de la prensa periódica."[5] Apenas hay palabra en esta cita que no merezca ser subrayada. Mesonero, hombre de gustos clásicos en medio de una sociedad romántica, busca el medio de salvar la esencia de un arte "enterrado *entre nosotros*" y que comprende mal la fórmula "novela satírica". Él rechaza la mera imitación de los románticos; debía de conocer aún mal la vieja picaresca, puesto que de tan extraña manera califica los largos relatos de Alemán y Espinel; no imaginaba una transposición a circunstancias españolas de la fórmula de Balzac, que no pudo ignorar; sin duda no veía en ella posibilidades de aplicación —¿por qué no?— a la "novela satírica" que soñara. El eclipse de la española le obligaba a reanudar la tradición, reengarzando lo actual con cosas muy lejanas. No se podía ser castizo sino en el estilo, y así "procuró formar una narración independiente, dramática y que recordase (cuando no alcanzase a imitar) el giro, la intención y hasta el estilo de nuestros buenos escritores, Cervantes, Quevedo, Mendoza, [Vélez de] Guevara, Alemán, Espinel y Moratín".[6] Sucedáneo de novela, el cuadro de costumbres aspira a ser una narración "dramática". La realidad observada será la que la vida actual nos ofrece en torno; el espíritu es el de antaño, manifestado en el giro y la palabra castizos.

Como si obraran aguijoneados por una conciencia intranquila, muchos de nuestros costumbristas han insistido en esto, en que venían a continuar la historia de España; y el recuerdo de Zabaleta, de Santos, que nadie leía ya, es frecuente bajo sus plumas, como

---

[5] *Panorama matritense, Obras completas*, Madrid, Renacimiento, 1925, I, pág. 12.
[6] Advertencia a las *Escenas matritenses, Obras*, ed. cit., II, pág. 16.

el empeño de envolver el costumbrismo en la picaresca[7] —defendible si el concepto de la moderna escuela no hubiera sido tan estrecho como veremos—. Más congruente era la cita de Cadalso, en cuyas *Cartas marruecas* hay muchas maravillosas adivinaciones —la carta VII, por ejemplo, vale por medio Mesonero—, y aún hubiera podido añadir algunos lindos pasajes de la *Óptica del cortejo*, de Ramírez, tanto tiempo atribuida a Cadalso mismo. Más oportunos son aún los recuerdos de don Ramón de la Cruz, tan próximo a este novísimo costumbrismo y verdadero precursor del gusto por la manolería cochambrosa y lenguaraz; Cruz, humorista antiheroico, como Mesonero humorista antirromántico.[8]

Mesonero podía decir lo que quisiera de sus vacilaciones en la encrucijada de la novela; si no las escribió fue porque no sabía hacerlo. No creo que tengan nada de irónicas las palabras de Hartzenbusch —escritas en fecha tan tardía como 1862— sobre la vieja ambición de Mesonero; leídas hoy, lo parecen. Hartzenbusch parafrasea las explicaciones de "El Curioso Parlante" y añade: "Gran falta hace este libro —la novela proyectada antes que el *Panorama*— y no podemos menos de rogar a nuestro ilustre compatriota que no abandone un proyecto que, después de las *Escenas matritenses*, nos proporcionaría una obra de igual o superior mérito"; "...treinta años ha, en 1832, una novela original, por buena que fuera, no hubiera sido leída con el gusto, con el aprecio... que los artículos

---

[7] Además de las palabras de Mesonero, las más divulgadas, comp. frases de escritores menos conocidos: "Nuestros antiguos escritores hicieron gran uso de este tipo [el del estudiante], que figura en casi todas sus novelas de costumbres... Así lo vemos en *El bachiller de Salamanca* (sic), en *Gil Blas* (sic), *Marcos de Obregón* y la *Vida del Gran tacaño*. Tampoco se quedó atrás Mateo Alemán en su *Guzmán de Alfarache*..." (V. de la Fuente, *El estudiante, Los españoles pintados por sí mismos*, I, Madrid, Boix, 1843, pág. 225). En sus artículos tardíos Mesonero distingue mejor al referirse a los antiguos "escritores de costumbres y novelas, tales como Quevedo, Castillo, Zabaleta y otros" (*La vida social en Madrid. Carácter de los habitantes* (1860?), *Tipos y caracteres, Obras*, ed. cit., III, pág. 170.)

[8] V. referencia a *La casa de Tócame Roque* en la nota a *Un día de toros, Escenas*, págs. 39-40, y el artículo *La vida social en Madrid* que acabamos de mencionar, pág. 170.

del Curioso..."[9] Los tiempos habían cambiado; el triunfo de *La Gaviota,* de *Clemencia,* no estaba muy lejano, pero aquella novela no se escribió porque Mesonero no supo hacerla.

Hay mil detalles que patentizan la insensibilidad de Mesonero para lo novelesco. Dejando aparte su peculiar *humor,* expresión de su incapacidad de entregarse sin reservas y de penetrar sin coraza en el mundo de sus creaturas; aparte, pues, de las dificultades que le depara su propia índole de "costumbrista satírico", sus ideas de la novela (lo acreditan muchos pasajes de sus artículos) no eran del todo claras, y aun esos mismos pasajes atestiguan que la novela no le interesaba cosa mayor. Leyéndole atentamente, se tiene la impresión de que no eran por cierto novelas los libros que practicaba con más asiduidad. Tal vez había heredado del siglo xviii, con tantas otras cosas, el menosprecio por el género novelesco. La novela romántica le merece los mismos juicios displicentes e irónicos que todas las otras manifestaciones del romanticismo; esas obras le repugnan sobre todo por intolerancia moral. En el *Semanario Pintoresco* hay un artículo firmado con sus iniciales que da buena muestra de la incomprensión de nuestro autor. Pocos habrá tan superficiales en la crítica del tiempo, tan superficial siempre entre nosotros por lo que respecta a la novela. De las tres clases de novela de que Mesonero se ocupa, la fantástica y la histórica decayeron pronto de su momentáneo esplendor; sólo la de costumbres es viable, pero la que se cultiva y se lee muestra "el criminal empeño" con que "las emponzoñadas plumas de los Hugos y Dumas, Balzac, Sand y Soulié" se aplican a derrocar la moral.[10] Y esto es todo lo que sabe decirnos Mesonero. Su artículo no trata de la novela propiamente, ni de las posibilidades artísticas del género, ni de novelas buenas o malas por sus cualidades intrínsecas; es un alegato, entre mil, si no contra la novela de costumbres, contra las costumbres que refleja la novela, y una incitación a que tales cosas no se hagan en España. La conciencia de la pobre vida española —po-

---

[9] Prólogo a las *Escenas,* ed. cit., pág. 8; v. ibíd., pág. 9, el curioso cuadro que del estado de la novela en España, al aparecer Mesonero, hace Hartzenbusch.

[10] *La novela, Semanario,* 1839, IV, pág. 253.

bre en un sentido, rica en otros— se expresa en forma bien castiza y bien aldeana en la orgullosa modestia con que Mesonero rechaza hasta la posibilidad de seguir las huellas de los novelistas franceses. En uno de sus últimos artículos —Pereda y Galdós están ya a punto de aparecer— volvemos a encontrar repulsas incomprensivas contra esas obras que llenan el mundo con su fama. "Sabemos por ventura poco y no sentimos la necesidad de envolver nuestros extravíos en esa elegante gasa recamada de oro, en ese perfume oriental que revelan en la más alta escala de la sociedad parisiense las ingeniosas novelas de Balzac, Dumas, Sand y Soulié. Tampoco la desigualdad de las fortunas es tan extrema, la grosería y el libertinaje tan atroces como los pinta Eugenio Sue en su célebre obra *Los misterios de París*. Nuestros deslices, hijos del corazón más que de la cabeza, no están tan bien calculados para producir efecto dramático."[11] Se diría que la fascinación de lo ya producido en Francia quita al autor la serenidad necesaria para considerar siquiera como posible una tentativa española; algo al menos como lo que realizaba ya entonces Fernán Caballero. Si era posible repetir en España y con tipos españoles —por lo menos hasta cierto punto— la empresa de *Les Français par eux mêmes*, ¿por qué no lo sería el hacer la novela de esos deslices nuestros, nacidos del corazón? Este hombre, que se esforzó por formar un catálogo de todas las existencias interesantes de Madrid, llega a escribir a propósito de algunas de las más originales —burócratas, aspirantes y cesantes—: "Ahora bien, señores dramáticos, ¿no hallan ustedes en estos tipos aquella originalidad, aquella *vis comica* (!) que tanto pregonan? Pues entonces, reniego de su ojo dramático; compren un Taboaba y métanse a traducir."[12] A los novelistas debía haber apelado; algunos

---

[11] *El forastero en la corte* (1862?), en *Tipos y caracteres,* pág. 178.
[12] *Cuatro para un hueso* (1841), ibíd., pág. 154. En fecha algo más tardía que la de las *Escenas,* Mesonero cultiva este género de artículo que es un apunte múltiple de tipos que hubieran merecido tratamiento novelesco. Así son los artículos *Pobres vergonzantes, Gustos que merecen palos* (más caricaturesco y más conceptista a la vez), *Industria de la capital* (del que se podría decir lo mismo); véanse en *Tipos y caracteres,* págs. 17, 27, 39. Aún podría añadirse a ellos el artículo *Contrastes,* escrito para *Los españoles pintados por sí mismos* (II, 1844); cfr. ibíd., págs. 99 y sigs.

de los tipos a que se refiere, que ya estaban en la obra de Balzac, van a reaparecer, encarnaciones españolísimas, en la de Galdós. No sólo puede decirse que Mesonero no hizo una novela porque no supo; podría decirse que pasó frente a la novela sin verla. Ya notaremos la importancia que todo esto tiene en la morfología de los cuadros de "El Curioso Parlante", y cómo condiciona la relación de aquéllos con el cuento moderno.

II

Tratando de generalidades suscitadas por la aparición del costumbrismo, hemos de interumpirlas para examinar brevemente su proceso cronológico, antes de que la obra de Mesonero y las muchas cuestiones que plantea vuelvan a acaparar toda nuestra atención. "El Curioso Parlante" reivindicó para sí el mérito de haber sido el primero que se atreviera a introducir en España el cuadro de costumbres. No es esto enteramente cierto. Raro sería que un género literario que ha gozado de un éxito inmediato no fuera precedido de algunas tentativas más o menos frustradas. Sin contar con la infiltración lenta y difícil en España de algunos precursores extranjeros —si no Johnson, y posteriormente Mercier, Addison debió de ser bastante leído por algunos espíritus cultivados—, la boga de Jouy, el gran modelo de los más de los costumbristas españoles, comienza a documentarse desde mucho antes de iniciar Mesonero sus ensayos. Ya en 1817, *La Minerva* elogia a Jouy como "escritor ingenioso y muy fino y sagaz observador, que ha sobresalido en un género que perfeccionaron los ingleses".[1] Por el mismo tiempo aparecen en la misma revista artículos que parecen inspirados en el mismo autor, que quizá se deban a la pluma de Miñano, uno de los colaboradores más asiduos.[2] Entre 1828 y 1833, don Mariano Rementería y Fica publicó en *El Correo literario y mercantil*

---

[1] *La Minerva*, 1817, X, pág. 188, ap. Le Gentil, *Les revues littéraires de l'Espagne*, París, Hachette, 1909, pág. 5.

[2] Así el artículo anónimo *La ciencia del pretendiente o el arte de obtener empleos*, "visiblement inspiré de Jouy", según Le Gentil, ibíd. Puede verse ahora en el útil libro de Correa Calderón, *Costumbristas españoles*, I, Madrid, Aguilar, 1950, pág. 634.

cuentos y artículos de costumbres en que Le Gentil cree ver "la transition entre *L'Hermite de la Chaussée d'Antin* et les premiers essais du *Curieux Parlant*".[3] Posiblemente, un examen directo y detenido de aquellas viejas revistas nos permitiría encontrar más curiosidades de este orden, y posiblemente justificaría la afirmación del mismo erudito, que es "incontestable que le genre existait dix ans avant l'apparition des *Cartas Españolas* et des premiers essais du *Solitaire* et du *Curieux Parlant*", aunque, por lo que hemos podido ver, las formas son más rudas.[4] De todos modos, el problema de la introducción del costumbrismo en España no puede resolverse con los datos que da Mesonero, aun reduciendo mucho sus términos, y no es posible tener por cierta la prioridad de su obra. Los primeros cuadros del *Panorama matritense* comenzaron a publicarse en la revista *Cartas Españolas,* "única revista periódica de aquella época", "en los primeros días de enero de 1832". Fue el 12, exactamente, cuando apareció el primer artículo. Mesonero da a entender, sin decirlo muy claramente, que, con escasa posterioridad, Estébanez y Larra comenzaron la serie de sus artículos de costumbres.[5] Especial intención pone Mesonero en señalar su anticipación sobre Larra, olvidándose de que, si en lo que atañe a los artículos publicados en las *Cartas Españolas* puede tener razón, el gran escritor había incluido ya en *El Duende satírico* (1828) alguna piececilla imitada de Jouy (*El Duende y el librero,* transcripción a las circunstancias españolas de *L'Hermite et le libraire*) y artículos como *El*

---

[3] Le Gentil, loc. cit., pág. 18; para algunos datos sobre esta revista, interesantes a nuestra historia, ibíd., pág. 25. Dos artículos de Rementería pueden verse en Correa Calderón, págs. 647, 650, con otros textos de este primer período, muy lejanos aún de lo que fue el costumbrismo de Mesonero.

[4] Loc. cit., pág. 16.

[5] *Panorama*, pág. 13; v. ibíd., pág. 35, la fecha del primer artículo, *El retrato;* cfr. *Memorias*, II, pág. 89. De su prioridad como costumbrista vuelve a tratar largamente Mesonero en el *Panorama*, págs. 14-15, y en las *Memorias*, págs. 90-91, parece contenerse una alusión a los primeros escritos de Larra que "carecían ciertamente de originalidad y de plan, y sólo en fuerza de la inmensa popularidad... pueden obtener un puesto en la colección de sus escritos". Pero *El Duende* no se ha reimpreso hasta fecha muy reciente. ¿A qué alude Mesonero? ¿A *El Pobrecito Hablador*? Tendría que ver...

café, de factura muy semejante a la de otros posteriores.[6] Más de una vez se diría que el recuerdo de "Fígaro" obsesiona a Mesonero, que ese recuerdo era más bien ingrato y que el transcurso de los años lo hizo más ingrato aún. Los mismos remilgos de Mesonero al negarse a intervenir en polémicas políticas; su escrúpulo en deslindar los campos que él y Larra cultivaron, se diría que obedecen al deseo de que nadie recuerde los escritos del satírico en conexión con los suyos propios, aunque en esta acotación de los respectivos dominios no es Mesonero siempre el gananciolso. "...mi *misión sobre la tierra* es reir [el autor subraya la frase para que se interprete bien como una ironía antirromántica que es], pero reir blanda e inofensivamente de las faltas comunes, de las ridiculeces sociales. Quédese la apetecida palma de la sátira política unida a la memoria de mi desgraciado amigo "Fígaro". Por dos distintas sendas caminamos siempre, y ni él siguió mis huellas ni yo pretendí nunca más que admirar y respetar las suyas. Esto va en temperamentos y convicciones, pues ni yo soy "Fígaro", ni veo las cosas con tan tétricos colores, ni entiendo de políticos achaques, ni estoy determinado a atentar a mis días por fastidio y cansancio de la vida."[7] En las *Memorias de un setentón,* contando la última visita de Larra, Mesonero insiste en lo mismo, tan inoportunamente, que se diría que, a pesar de los años transcurridos, aún no se ha arrancado la espina; desde que algún crítico hubo dicho que "El Curioso Parlante" era el más digno sucesor de "Fígaro", nuestro autor no puede citar una vez el nombre de éste sin aludir de algún modo a la injusticia que, a su parecer, envolvían aquellas palabras. ¡Curiosa manera de recordar, pasados tantos años, los últimos momentos que vivió junto al gran satírico, y de recordar las últimas palabras que le oyera! "Giró [la conversación]... sobre materias literarias, sobre nuestros propios escritos, *sin celos ni emulación de ninguna especie,* si bien resonando siempre en las palabras de Larra aquel escepticismo que le dominaba, y en sus labios aquella sarcástica sonrisa que nunca pudo echar de sí y que yo procuraba en vano combatir con mis

---

[6] Véanse en *Artículos de costumbres,* ed. Clásicos Castellanos, Madrid, 1931, págs. 17 y 21. La fecha exacta de su aparición es 26 febrero 1828.

[7] *La Guía de forasteros* (enero 1842), *Escenas,* págs. 413-414.

bromas festivas y mi halagüeña persuasiva."[8] Eran dos caracteres que no estaban hechos para entenderse, aunque cierto respeto mutuo y la buena educación los mantuviesen en el terreno de la convivencia. Se diría que "Fígaro", aquel hombre fatal "de innata mordacidad que tan pocas simpatías le acarreaba", no tuvo tampoco la de Mesonero.[9]

Mas, aun si no se admitiera la precedencia de Larra y se dejara a un lado su obra primeriza —por más que *El café* y otros artículos clamaran contra la arbitrariedad—, no es posible ignorar los títulos de "El Solitario", Serafín Estébanez Calderón (1799-1867). Desde el primer tomo de las *Cartas Españolas,* que empieza en 26 de marzo de 1831, su colaboración en esta revista fue muy asidua y variada, y por aquellas páginas van pasando varias de las que, al ser después recogidas en un libro, habrán de titularse *Escenas andaluzas,* con algún otro escrito que figurará con pleno derecho en una historia de la novela corta y del cuento españoles: *Pulpete y Balbeja* (I, 1831, pág. 66), *Los filósofos en el figón* (ibíd., pág. 181), *El bolero* (III, 1831, pág. 355), *Baile al uso y danza a la antigua* (IV, 1832, pág. 73), la "novela" *Los tesoros de la Alhambra* (ibíd., pág. 142) y otras muchas cosas.[10] En 1831, ya lo hemos visto, Mesonero no había comenzado aún su colaboración. Será, pues, "El Solitario" el segundo, entre los escritores de nota de aquel tiempo, que sigue las huellas de Jouy, aplicando sus procedimientos a las circunstancias españolas. Bien poca semejanza hay entre el modelo y su imitador, y nadie lo diría si no estuviera confesado el propósito.[11] De todos

---

[8] *Memorias,* II, pág. 154.

[9] Ibíd., pág. 67. Más sobre la relación de ambos en ibíd., pág. 91.

[10] Sobre la colaboración de Estébanez a *Cartas Españolas* v. ahora la edición de sus obras cuidada por don Jorge Campos, Biblioteca de Autores Españoles, tomo LXXIX, Madrid, 1955, pág. x n6. No todo ha sido recogido, y es lástima que no se aprovechara esta ocasión de hacerlo. El señor Campos ha emprendido una cumplida indagación de los escritos de "El Solitario" dispersos en las revistas de su época —*Correo literario y mercantil, Revista Española*— y ha exhumado algunos textos poéticos.

[11] "El Solitario" confesaba "en conversación que la lectura de los artículos de Jouy le sugirió la idea de introducir tal género en la literatura española de su época". Esto no le impedía reivindicar para los antiguos españoles la invención del género. "A éstos y a la naturaleza solamente

modos, nos las habemos con un curioso ilogismo romántico —aunque "El Solitario" lo fuese apenas—: que el autor que tan intempestivamente exhibía su españolismo, el que escribió: "tengo ciega pasión por todo lo que huele a España",[12] y no perdió coyuntura en maldecir de las influencias "gabachas"; que el que hubo de rotular su libro más famoso *Escenas andaluzas, bizarrías de la tierra, alardes de toros, rasgos populares, cuadros de costumbres y artículos varios, que de tal y cual materia, ahora y entonces, aquí y acullá y por diverso son y compás, aunque siempre por lo español y castizo, ha dado a la estampa "El Solitario"*... (Madrid, González y Castelló, 1846): que este hombre recibiera el impulso creador de la frecuentación de un escritor, y escritor mediocre, de ultramontes. Nadie lo diría del rebuscador y lector de tantos libros raros, del rival del "bibliopirata" Gallardo,[13] del que hacía de sí mismo este barroco retrato:

> La figura que contrasta admirablemente con el retrato femenil que va presentado, es una persona larga, seca, encañutada, que aunque por tradición se le echan sesenta navidades, cualquier desapasionado le arrimará algunos lustros de añadidura, bien se le mire de perfil, o bien se le encare frente a frente. Jamás lleva acompañante alguno, ni se le conoce amigo viviente, lo que en uno con el elogio que escribió días atrás de la soledad, hizo que la tertulia le llamase "El Solitario", cuyo apodo (!) al fin concluyó por adoptar él mismo, y ya el público tiene algunas nuevas suyas. Su gusto literario es tal, que muy pocos libros transpirenaicos hallan gracia a sus ojos, mas en trueque siempre está cercado de infolios y legajos empolvados a la española antigua (!), y para cuya caza trastea y escudriña los trebejos de las librerías y baratillos. Es celosísimo del habla castellana y no puede sufrirla acompañada

---

pidió él... inspiración y lecciones". (Cánovas, *"El Solitario" y su tiempo*, Madrid, Pérez Dubrull, 1883, I, pág. 142.)

[12] *La rifa andaluza, Escenas andaluzas*, ed. Escritores Castellanos, Madrid, 1883, pág. 19. Cito siempre por esta edición.

[13] Mucho menos pirata que el mismo don Serafín, que a este respecto obró siempre de mala fe. V. ahora sobre este asunto el magnífico estudio de A. Rodríguez Moñino, *La de San Antonio de 1823*, Madrid [Valencia, Tip. Moderna], 1957, especialmente págs. 61-62.

de galicismos ni manchada con suciedades de este jaez. Es muy entendido en el arte de farsar, y muy bien sirvieran sus lecciones de cartilla a los farsantes, si no fuera por la extremada indulgencia que con ellos emplea, vapulándolos con copos de algodón, cuando debiera blandir disciplinas de disciplinante.[14]

Retrato de interés, como prueba del poder deformante que poseía el estilo de "El Solitario", no como efigie suya. Treinta y dos años tenía al tiempo de publicarlo y estaba muy lejos de ser un carcamal malhumorado. (Achaque común de costumbristas fue esto de ponerse años y adoptar una máscara que, teatralizando cuanto escribían, daba una perspectiva especial a sus cuadros.)[15] Lejos de pertenecer a esa especie de observador huraño, Estébanez, uno de los españoles más interesantes y más disparatados de su tiempo, fue de regocijadísima persona, tanto en su juventud, cuando canturreaba a media voz coplas malagueñas en el Parnasillo,[16] como más tarde, cuando iniciaba a Prosper Mérimée en los secretos de la cocina española,[17] cuando no le pilotaba por bajíos más peligrosos que los figones.[18] Nada de hosco debía de tener el destinatario de aquellas extraordinarias cartas que el joven Valera enviaba desde Río de Janeiro o desde Lisboa y que se regodeaba con las obscenidades más donairosas que se han escrito en castellano.[19] Como buen anda-

[14] *Reseña de cierta tertulia cuyos personajes han de figurar más de una vez en estas cartas, Cartas Españolas,* 1831, I.

[15] "Mis copiosos años pueden permitirme libertad tan inocente". (*La rifa andaluza* (1832), *Escenas,* pág. 30.)

[16] Mesonero, *Memorias de un setentón, Obras,* ed. cit., VIII, pág. 67: "Allí Serafín Calderón, con su lengua estropajosa y su lenguaje macareno y de germanía, contando lances y percances a la alta escuela o entonando por lo bajo una playera del Perchel".

[17] Valera, *Florilegio de poesías castellanas del siglo XIX,* V, Madrid, Fe, 1904, pág. 95.

[18] V. las muy curiosas *Lettres de Mérimée à Estébanez Calderón,* publicadas por Mitjana, *Revue politique et littéraire,* 1910, XLVIII, págs. 607-614, 645-647, en las que apenas se habla de otra cosa que de bibliofilia y de aventurillas poco edificantes con mujerzuelas de Madrid.

[19] Estas cartas, por desgracia inéditas, que yo pude leer en el verano de 1936, paraban en poder de don Serafín Orueta. Sería deseable que se publicasen, y no obstante sus escabrosidades, que se publicasen íntegramente.

luz, y como hombre de su tiempo, Estébanez es una figura sobremanera huidiza y rebelde al análisis. La mayor parte de las virtudes que hicieron el encanto de sus contemporáneos desaparecieron con él, sin dejar reflejo en los libros; como ocurre comúnmente con escritores españoles, su obra fue inferior a su persona. Su parentesco espiritual con Valera debió de ser tan grande, que creemos ver en éste un pleno logro, o un logro casi pleno, de esperanzas que en don Serafín se frustraron; en "El Solitario" aparecen desequilibrados y en desorden aquellos ricos dones, nativos o adquiridos, que Valera supo coordinar y armonizar por tan prodigioso modo. Cánovas, que nada tenía de artista, no supo evocar aquella gallarda y seductora figura, y su vocinglero panegírico ha dañado más que beneficiado la fama póstuma de "El Solitario". Empeño del biógrafo debió ser revivir al hombre, y no meramente loar de un modo disparatado una obra tan interesante como defectuosa, en la cual, con todo, hay varios exquisitos logros.

Estébanez pasa por ser un escritor difícil, no por sus asuntos o sus temas, sino por su lenguaje, por ser un escritor que obliga a sus lectores a un frecuente manejo del diccionario. Esto es verdad hasta cierto punto. Menguada será la cultura literaria de los que nada entiendan sin echar mano a cada paso del léxico de la Academia. Ahora, los que tal hagan, comprobarán con frecuencia que "El Solitario" abusa de la elasticidad de las acepciones, o que a veces ponía en sus palabras sentidos que la Academia desconoce. En ocasiones el disparate es patente —o la mistificación—: "las doncellas moriscas, con sus alcandoras pintadas, con sus carcajes de oro al comienzo del borceguí, brazaletes de piedras en las manos, ponían el colmo de su aliño en el alheño de sus ojos".[20] La paronomasia final, que hubiera encantado a Gracián, y que quizá haya determinado el cambio arbitrario de "alheña" en *alheño*, es ya de gusto discutible. Yo no sé si el arabismo de que tanto hizo gala Estébanez justifica las nuevas acepciones que da a "alcandora" y "carcaj", que aquí no pueden significar sino *velos* y *ajorcas*, pero

---

[20] *Cristianos y moriscos, Novelas y cuentos,* Madrid, Espasa-Calpe, 1919, pág. 39.

parece evidente que el autor confunde la "alheña", que siempre ha servido para teñir los cabellos, con lo que en castellano siempre se ha llamado *alcohol* o *cool,* y era el menjunje utilizado para "alcoholarse" los párpados las mujeres. Otro ejemplo: "mancebos adornados con los bordados más ricos y con toda la ataujía oriental".[21] A veces, la falta de una palabra obliga a Estébanez a forzar el sentido de otra, pecado venial cuando el contexto queda claro: "ojos hundidos, aunque relucientes, con ciertas *binzas* de sangre".[22] El gusto por la palabra rara puede decidir al autor por el empleo de la más peregrina entre varias, a la relegación de la más corriente: "macetas de amáraco (*mejorana*) y verdones halagaban el olfato o la vista...",[23] y esa tendencia a la mistificación que Estébanez tuvo, común con su amigo Mérimée, induce a pensar —el diccionario no basta a explicar la frase —que cuando escribe: "las esclavas africanas vendían las confituras y bollos hechos con el caniamum y el ajonjo, que alegraban el espíritu, sin embriagarlo como el vino"[24], quiere decir que los tales bollos estaban espolvoreados con cañamones y ajonjolí, como es uso corriente en Andalucía. En faltas de éstas, si faltas son —la última frase transcrita pertenece a una de las más bellas páginas de "El Solitario"—, incurrieron frecuentemente los románticos franceses, y no hemos de ser más rigorosos para con "El Solitario" que para con Hugo o Gautier. Tanto más cuanto que no sabemos hasta qué punto el uso regional de ciertas partes de Andalucía no justificaría algunos de estos excesos; tal vez cuando se compile un buen léxico del habla andaluza quede vindicado "El Solitario"; entonces sabremos qué quiso decir cuando escribió: "los chiringos de cándidos racimos, con las azucenas y bermejos lirios",[25] pues esos "chiringos" nos son desconocidos. (No sin sospechar que son algo relacionado con *syringa,* y que Estébanez habla o de lilas blancas o de las tan abundantes celindas andaluzas.)

---

[21] *Cristianos y moriscos, Novelas y cuentos,* Madrid, Espasa-Calpe, 1919, pág. 40.
[22] *Catur y Alicak,* ibíd., pág. 167.
[23] *Cristianos y moriscos,* pág. 38.
[24] *El collar de perlas,* ibíd., pág. 134.
[25] Ibíd. pág. 133.

No es por el léxico por lo que desconcierta Estébanez, sino por su peculiar concepción de la frase, por aquel lenguaje redundante, frondoso en demasía y a menudo pleonástico, que él creyó de buena fe esencialmente castizo; no es que no se entienda la prosa de "El Solitario", es que a menudo cansa. Nuestro autor, que figura entre los precursores de un movimiento restaurador de la añeja tradición, coincidente con el romanticismo, sin ser siempre romántico, había sido tan autodidacto como todos los hombres de su tiempo y de su tendencia, se encontró necesitado de improvisarse una cultura castiza, y leyendo, como leyó sin duda, muchos viejos "infolios y legajos empolvados a la española antigua" (¡curiosa manera de decir, y de decir algo distinto de lo que se desea!), desojándose sobre viejos papeles, no escogió siempre los mejores modelos. No se contentó, como los espíritus académicos del siglo anterior y sus herederos, con el estudio y la imitación de Cervantes —al que tanto debe— y de ciertos moralistas e historiadores de prosa profusa y bien trabajada aunque con frecuencia peque de afectada y fría, que habían florecido en el siglo XVII. Estébanez debió de dar, por sus pecados, con no pocos libros de la época imperial, cuando la verbosidad fue moda, y el empleo de infinitos sinónimos, las repeticiones y redundancias, se confundieron con lo abundante, caudaloso del estilo. Si Valdés, que estableció la regla de escribir con las menos palabras que fuese posible, no dejaba de gustar de las frases *llenas*,[26] a las que los dobletes pleonásticos daban justamente la plenitud y toda la rotundidad deseable, imagínese el gozo de estos casticistas noveles, que nada tenían de ponderado, que reaccionaban contra la sequedad académica del siglo XVIII, ante esos libracos aparecidos tres siglos arreo, que los emborrachaban de palabras. El placer del verbalismo, que fue general en el Renacimiento —al ejemplo de los españoles de la época imperial puede asimilarse el de Rabelais y el de muchos italianos—, no se justificaba ya en los días de Estébanez y no podía causar sino desaciertos. Sobre todo

---

[26] *Diálogo de la lengua,* ed. Clásicos Castellanos, Madrid, 1928, pág. 155. V. sobre este aspecto del español de la época imperial el magnífico ensayo de Menéndez Pidal, *El lenguaje del siglo XVI, Cruz y raya,* núm. 3, setiembre 1933.

en estos precursores que no habían tenido ni la coyuntura ni los medios, que a menudo no disponían del vagar necesario para entregarse a complicados análisis. La lectura de los antiguos españoles les dejaba en la memoria un ritmo, una medida musical, que ellos imitaban "de oído"; para llenarla, rebutían la frase de mil palabras ociosas, sin cuidarse lo más mínimo de lo que decían, incurriendo a veces en curiosos contrasentidos o en grotescos pleonasmos. ¿Qué querrá decir, traducido al castellano, o a cualquier otra lengua, el largo título de las *Escenas andaluzas* transcrito arriba? Un cierto "humor", con frecuencia hermanado a estas acrobacias estilísticas, no siempre las hacía tolerables ni, por supuesto, las esclarecía. Ante semejantes chaparrones de palabras, se recuerda una frase del mismo "Solitario" —que, remotamente, procede del *Quijote*—: "Capita, Capita..., no te vayas por esos trigos de Dios; amaina, amaina de tu taravilla y cíñete a lo que es justo y razonable."[27]

Son tales frases, más que las rarezas léxicas, lo que desasosiega al moderno lector de Estébanez; frases como éstas: "Aquí había refinado, allí rosoli, este frasco decía mistela, aquél champurrado, con otros apelativos y denominaciones curiosas y de gran facundia (!) y novedad."[28] "Entre estos incentivos y aditamentos (!) del paladar se veían en larga fila anchos barreños."[29] Se pregunta uno si Estébanez, por "guardar el decoro" a sus personajes, no habla deliberadamente un galimatías parecido a la jerga chulesca de ciertos sainetes madrileños de nuestros días. Pues pleonasmos se encuentran a porrillo: "La voz de ese cantor de oírla hemos no tan lejos y más a la orilla de nosotros".[30] "Pues adecuadamente voy camino de ello sin tocar en rama... sino que he querido y tenido por conveniente, previamente y con antelación, por mi ascendencia, progenie y casta de donde vengo, probar, demostrar y no dejar duda de que soy la mapa y el maestro deputado, sin necesidad de examen ni juramento, para hacer hablar siete varas de paño".[31] Esto ha sido

---

[27] *Gracias y donaires de la capa, Escenas*, pág. 322.
[28] *Asamblea general...*, ibíd., pág. 265.
[29] Ibíd.
[30] *Cristianos y moriscos*, pág. 57.
[31] *Gracias y donaires de la capa, Escenas*, págs. 321-322.

escrito, ciertamente, con intención humorística; la continua reiteración del procedimiento no deja por ello de ser fatigosa. Y hay frases torpes de este jaez que ni siquiera el humor justifica, frases perfectamente serias: "Macetas de amáraco y verdones halagaban el olfato o la vista, *según fuese el sentido que quisiera recrearse* en tales plantas".[32] Pero lo más castizo de "El Solitario" obedece a ese género de humor, tan propio de andaluces, que se llama "zumba" —y, como todas las zumbas, pesa por la sobrada insistencia.

Muy de notar es que Estébanez, "celosísimo del habla castellana", dista en ocasiones de ser correcto. Su conocimiento de la lengua clásica, obtenido por frecuentación directa, no por estudio gramatical, en ocasiones no es muy seguro; no es demasiado raro tropezar con faltas graves de sintaxis: "Tú..., leyendo esas mis fantasías nacidas en un suelo de azahares, en un país de ilusiones y recuerdos, retratando [es decir, "que retratan", las "fantasías", por supuesto] las desventuras de una nación desgraciada..."; [33] "Era, pues, el caso que Cuquiles y Estrujantes cada cual de sus corteses razones las acompañaban con tal carambola de moquetes... que además de hacerles ver las estrellas... les desahogaban la cabeza"; [34] "Mi imaginación delirante me forjaba mil visiones de imposibles que se gozaba en vencerlos a su antojo".[35] Esto no es nada clásico; es lengua hablada y mal hablada. Sería cegarse deliberadamente no observar que no todo lo que don Serafín escribe procede de los clásicos, bien o mal leídos. La frase de Mesonero sobre su lenguaje "macareno y de germanía", que tan discordante parece del concepto que de este autor nos han hecho formar los manuales literarios, merece ser retenida. Hay en las *Escenas* muchas frases escritas al desgaire, con un desgarro de jácaro, en las que se mezcla lo antiguo con lo moderno. De los clásicos aprendería Estébanez sin duda este gusto por lo germanesco; pero no siempre el contenido léxico de las frases; por desgracia tomó también de ellos muchos giros, per-

---

[32] *Cristianos y moriscos*, págs. 38-39.
[33] Ibíd., pág. 8.
[34] *Don Opando, Escenas*, pág. 148.
[35] *Novela árabe, Novelas y cuentos*, pág. 161.

didos hoy, que, al revivir en boca de sus personajes, dan a éstos la extraña irrealidad de que ya hablaremos.

Casi no vale la pena advertir que "El Solitario" nunca supo usar el adjetivo *sendos, sendas,* pues, por lo visto, nadie lo sabía en su tiempo;[36] más grave es que emplee tal vez el genitivo *cuyo* como la gente más inculta del pueblo: "Manolito Gázquez, cuya juventud, por su lozanía, conservó hasta lo último de su vida, murió cerca ya de los ochenta años."[37]

Una vez solamente, que yo sepa, ha incurrido Estébanez —como Hartzenbusch, como Durán, como otros menores— en la funesta idea de escribir "fabla antigua", ridícula manía de los eruditos de aquel tiempo, que creían felices imitaciones lo que no era sino notación penosa de ideas y sentimientos modernos con vocablos arcaicos tomados de aquí y allá. Véase lo que Estébanez quería hacer pasar por lenguaje del siglo XIV; diríase que no fue a textos del tiempo, sino que acudió a algo así como el *Centón epistolario* a tomar vocablos y giros: "Horas de vísperas eran cuando en largo de la cal de San Román de Toledo paso a paso divagaba un escudero en continente reposado, ansí como pavón, atildándose en la sombra. Sus calzas de entray, atacadas a rico jubón colorado, capa palmilla revuelta al brazo e gorro aceituní con sendas plumas blancas e

---

[36] Véanse algunos ejemplos entre mil: "Cierto día trabajaba en su taller sendos clavos de ancha cabeza" (*Manolito Gázquez, Escenas,* pág. 63); "ora el chupetín va galoneado, ora cargado con sendas andanadas de botones" (*La feria de Mayrena,* ibíd., pág. 81); "se valía del aliciente goloso de sendas pastillas y caramelos que atesoraba" (*Don Opando,* ibíd., pág. 88); "sacudía Tenebrarios sendas palmadas sobre los autos" (ibíd., pág. 109); "caldera... pendiente de sendas llares condecoraba... el frontis" (*El roque y el bronquis,* ibíd., pág. 195); "una maldición cordial de sendo marido importuno" (*Baile al uso y danza a la antigua,* ibíd., pág. 307); "para chupar y tomar había sendas cosas más preferibles" (*Fisiología y chistes del cigarro,* ibíd., página 367); "te alcanzaré sendos jarros de agua de la fuente" (*Cristianos y moriscos,* pág. 20); "Alicak ponía bajo la corona de la cabalgadura un sendo aguijón que comenzó a lastimar el asno" (*Catur y Alicak, Novelas y cuentos,* pág. 169). Dada esta abundancia de disparates, cabe pensar que, cuando la frase hace mejor sentido, ello no se debe a designio del autor, que sigue desconociendo el valor exacto de esos adjetivos. Más adelante veremos que Mesonero no le va en zaga.

[37] *Manolito Gázquez, Escenas,* pág. 70.

negras, bien demostraban que aquel gentilhombre presumía de caballero, bien que el no calzar borceguíes bermejos, tachonados con sendas espuelas, aína decía no haber alcanzado tanta honra."[38] Aparte la frase "ansí como pavón", que podría provenir del Arcipreste,"[39] nada hay en ese pasaje que no derive de lecturas mucho más modernas —sin contar los numerosos disparates que destacan en él—. El sentido filológico, como el sentido histórico, no habían madurado aún bastante. ¿Nos sorprenderemos de encontrar en *Cristianos y moriscos* un soldado pícaro que distingue sin vacilar: "esto que suena es arpa y quien la toca, fuera de ser de los diestros, ha cursado mucho por los castillos y *torres góticas* de Alemania"?[40]

Era preciso hacerse cargo menudamente de lo que en verdad fue el estilo de "El Solitario", porque este bendito estilo —tan mal calificado generalmente— le ha impedido ser tan popular como debiera. Se le ha tenido siempre por un escritor casi hermético, que se expresaba en un lenguaje alquitarado y preciosista, y no es así. Su obra, muy desigual en todos sentidos, no es, ni con mucho, tan inasequible como las gentes creen. Los cuentos son lindísimos, y mucho más ligeramente escritos que la mayoría de las *Escenas;* hay en alguno de ellos, como *El collar de perlas,* páginas que son un acierto absoluto, por el poder de evocación, por el color, por la gracia descriptiva, por todo. Lo que sí es cierto es que el estilo de muchas escenas, por su poder deformador, hizo de ese libro algo tan desemejante de lo que fueron en su tiempo los de costumbres, que los más de los lectores debieron de llamarse a engaño. En la historia de nuestro costumbrismo, "El Solitario" es al mismo tiempo el iniciador y el disidente.

Ocurre con Estébanez lo contrario que con Mesonero. Mesonero sólo tiene ojos para lo que inmediatamente le rodea, para lo cotidiano, trivial, menudo, tipos o cosas. "El Solitario"... ¿En qué época vive "El Solitario"? En varias de sus escenas no parece un hombre de sus días. Podría decirse que él se ha inventado un tiempo his-

---

[38] *Don Egas el escudero, Novelas y cuentos,* pág. 174.
[39] *Libro de Buen Amor,* ed. Clásicos Castellanos, II, estr. 1486 *b.*
[40] *Cristianos y moriscos,* pág. 55.

tórico —que no es el de la España fernandina o isabelina, pero tampoco el pasado—. "El Solitario" es un creador —Mesonero lo fue apenas—, pero un creador de orden especial.

Él es un tradicionalista, aunque en política fuese liberal, moderadísimo, pero liberal. Cuando ocasionalmente alude a ciertos "escritores graves que, refutando hechos, desmintiendo las crónicas viejas, criticando los escritos antiguos, derramando la desconfianza y quitando la fe en todo lo tradicional, hacían de la historia una miserable controversia",[41] aunque la frase ocurra en un cuento oriental, no cabe duda sobre el alcance de las palabras. Todo el costumbrismo español parece nacido de una crisis de nacionalidad y, sentimentalmente, la simpatía de los autores se vuelve hacia el pasado, pero el presente los arrolla. No así a "El Solitario". La mayoría de las cosas y personas que pasan por las *Escenas* están como fuera del tiempo, y a esto, quiéralo o no, tiene que armonizarse lo otro. Cuando no ocurre así, Estébanez abandona su sosiego zumbón o su ensimismamiento soñador y hace sátira cruda. Esto no ocurre sino una vez, en la novelita de *Don Opando*.

El contenido de las *Escenas* es mucho más variado que el de los libros de Mesonero, aunque no tanto como da a entender su revesado título. Varios de los trozos en ellas incluidos son "artículos" de factura más o menos nueva, más o menos aprendida de Jouy, en los que, aunque se introduzcan personajes, éstos no dan sino pretexto para tratar doctrinalmente y con peregrina erudición de aspectos esenciales del andalucismo (*El bolero, Toros y ejercicios de la jineta, Baile al uso y danza a la antigua,* y aún podría agregarse a este grupo *Gracias y donaires de la capa* y *Fisiología y chistes del cigarro,* no obstante su barroco pergeño). Hay anécdotas (*Manolito Gázquez el sevillano*), descripciones de las festividades públicas (*La feria de Mayrena*), artículos de circunstancias, en que lo costumbrista es, en realidad, un mero accesorio (*Asamblea general...*). Queda una mitad de escritos, aproximadamente, ante los cuales cabe plantearse de nuevo el problema consabido de las recíprocas relaciones del cuento y el cuadro de costumbres. ¿Por qué

---

[41] *El collar de perlas, Novelas y cuentos,* pág. 132.

no serán cuentos *La rifa andaluza, Pulpete y Balbeja, Los filósofos en el figón, Don Opando, El roque y el bronquis,* en menos medida *La Celestina?* Sobre todo si los comparamos con el cuadro de costumbres *puro,* con *Un baile en Triana,* con *La feria de Mayrena,* y en cierto modo con la *Asamblea general...,* de semejante factura, si bien de intención diferente.

Valera, citando a Estébanez a propósito del renacimiento de la novela corta en España, mencionaba las *Escenas andaluzas* como prueba de los méritos contraídos por el autor en este terreno;[42] nosotros nos inclinamos al parecer de Valera, no sin una salvedad: no es posible ahora —como lo sería en el caso de Mesonero o Larra— ignorar la intención del autor, que no llamó novelas ni cuentos a estas obrezuelas suyas, y sí a otras que salieron a luz simultáneamente o más tarde: *Los tesoros de la Alhambra* o *Cristianos y moriscos.*

En esta distinción, que se hace en el espíritu del autor mismo, debemos ver una diferencia de propósito, que por fuerza ha de reflejarse en la técnica y aun en el estilo. Las *Escenas,* en cuanto cuadros de costumbres, pretenden atenerse a circunstancias contemporáneas; los cuentos y novelas, en cambio, son casi todos históricos; las primeras presentan realidades nada misteriosas ni ocul-

---

[42] Artículo sobre *El gusano de luz* de Salvador Rueda (1889), *Obras,* ed. Aguilar, II, pág. 772. Añádase este pasaje aún más explícito: "La novela y el cuento, poco cultivados en España durante el siglo XVIII y primer tercio del XIX, volvieron a cultivarse siguiendo las huellas de escritores ingleses y franceses... También en este punto se señaló Estébanez Calderón, prestando en las *Escenas andaluzas* originalidad notoria y sello peculiar e indígena a los usos y costumbres; lenguaje y estilo, fisonomía y traza a los personajes que pintaba. En todo ello considero yo a Estébanez Calderón, aunque harto menos popular y menos fecundo, de más trascendencia y benéfico influjo y de más acendrados quilates, cuya alta estimación ha de durar más, aunque hoy se reconozca menos, que los cuadros de costumbres de "El Curioso Parlante", y aun que los de Larra o "Fígaro"..." (*Florilegio,* V, pág. 92.) Otra vez incluye Valera en la historia del cuento no sólo las *Escenas,* sino todo el costumbrismo. De poco interés, como información e interpretación, pero curioso como prueba del entusiasta aprecio que Estébanez mereció siempre a Valera, es el artículo *Las "Escenas andaluzas" de Estébanez Calderón* (1858), que puede verse en *Obras,* ed. cit., II, pág. 42. No hay que olvidar, con todo, que Valera prodigaba la palabra "cuento", ya que para él cuento era todo lo que se contaba.

tas, los otros son casi todos fantásticos, aun el único de ellos que el autor refiere como ocurrido en vida suya, *Los tesoros de la Alhambra*. Por mucho que el autor, por la gracia deformante de su estilo, moldee y patine las escenas y las saque del tiempo, nos habla siempre de algo que podemos conocer por experiencia propia, de algo vivo aún en nuestras circunstancias; en los cuentos la fabulación no tiene trabas, se mueve en el ámbito infinito del ensueño. (Queda aparte *Cristianos y moriscos* novela histórica en cierto modo, interesante por más de un concepto, como hemos de ver.) Hay, pues, una diferencia de intención y de concepto que no es posible olvidar. Estébanez es, en cuanto recordamos, el único costumbrista de esta generación; por lo menos, el único costumbrista de nota, cuya obra presenta los dos aspectos, y en ella cabe hacer distinciones que la de los otros apenas suscitan. Ciertamente —esto es un ejemplo de ese desplazamiento de los géneros literarios a que arriba aludíamos— cuanto sobrevivió del costumbrismo se ha acogido a los dominios del cuento, y cuentos se leen hoy —o se leían no ha mucho— cuya trama no ofrece mayor complicación que la de *El roque y el bronquis,* pongo por caso. Pero con la diferente intención, el punto de enfoque del autor cambia. El costumbrismo *tipifica* casos y personas, mientras que la ficción los *singulariza* —aun allí donde les conserva un *minimum* de tipicidad para hacerlos recognoscibles como exponentes de algo, profesión, clase, etc.—. El tiempo está lejos aún en que Pereda podrá —en *La leva,* en *El fin de una raza*— fundir en uno ambos procedimientos. El costumbrismo nos indicará siempre con una deliberada vaguedad la índole del escenario y la composición de las figuras, y nosotros completaremos el detalle de los accidentes según nuestra propia experiencia. Esta factura no es la propia del cuento. Veamos un caso. Se *supone* una rifa andaluza —quizá este cuadro no sea ajeno a la invención del más dramático capítulo de *El Niño de la Bola,* bien que el escrito de Estébanez, como todas sus escenas, sea sumamente regocijado—; *supuesto* el escenario, se bosquejan de un modo rápido ciertos grupos de gentes que ocupen los sitios y adopten la actitud de las personas reales; no se nos dice que *determinada* rifa andaluza ocurriera en tal parte, ni que concurrieran a ella tales personas. Hay sólo algunas líneas forzosamente fijas; todo el pormenor se abandona a los lectores. "A un lado, separadas de todo tacto masculino... están las muchachas solteras del *barrio o aldea* (*pues el lugar de la acción lo dejo a voluntad ajena*), llenas de belleza y de donaire, con moños de colores simbólicos en el pelo y *con la laya de adornos que a bien tengan, pues en tal elección dejo libre albedrío,* pero no omitidme el calzado muy limpio y el talle breve y como de sortija... *Cuatro o seis* dueñas de rostros avinagrados... cuidan de avizorar toda descompostura... Los mancebos en pie... forman corro en derredor de los escaños..."[43] Por sorprendente que parezca, este modo de composición no será desechado del todo por los grandes novelistas del siglo XIX, o no lo será hasta muy tarde; no todos han visto que la pintura genial de *unos* Comicios Agrícolas tiene ya en sí todo el *tipismo* necesario. Fernán Caballero, por supuesto; Pereda, en gran medida; Galdós mismo, están aún llenos de este tipismo costumbrista. Nada de ello encontraríamos en los cuentos propiamente dichos de "El Solitario". En *Cristianos y moriscos* hay trozos que podrían derivar fácilmente hacia el cuadro de costumbres: la paseata vesperal de los habitantes de la aldea, la zambra de los moriscos; pero allí el autor se propone narrar una anécdota histórica de que las *costumbres* son circunstancia, circunstancias únicas que constan en el relato por su singularidad, no por su carácter típico.

De todo lo contenido en las *Escenas andaluzas,* lo más novelesco es la aventura electoral de Don Opando, pequeño "esperpento" *avant la lettre* y como tal, caricaturesco, pero genialmente caricaturesco. Las figuras de Don Opando y de Tenebrarios, el coro de próceres aldeanos, todo ello es admirable. Nada de *costumbres* en el sentido un poco estrecho y mezquino de aquella escuela; nos hallamos ante una verdadera novelita y como tal habrá de ser considerada. Lo que más fuera cae del campo de la novela es *La Celestina.* Al trazar este retrato, Estébanez incurre en el mismo error de Mesonero, que ya había publicado en 1838 *De tejas arriba,* por contraste, el más novelesco de sus cuadros. Uno y otro autor —Estébanez más aún que Mesonero— se han guiado por reminiscencias

---

[43] *La rifa andaluza, Escenas,* págs. 17-18.

librescas,[44] y uno y otro autor han puesto en boca de sus personajes frases de un engolamiento imposible, cometiendo la misma falta de perspectiva que el niño que creía que una casa vieja que estaba acostumbrado a ver era mucho más vieja varios siglos hace. Se diría que, como Mesonero, Estébanez ha creído que es esencial a cualquier celestina hablar como la de Rojas, y esto no en cuanto a la mentalidad que las palabras reflejan, sino en cuanto al tenor de las palabras mismas. Estébanez ha ensartado en su cuadro varios trozos de diferente técnica que esbozan situaciones posibles de la vida de esa celestina, que esta vez, más aún que otros personajes suyos, queda fuera del tiempo— y aun del espacio, pues nada hay que indique que ésta de que aquí se trata sea andaluza—. [45] Es éste suyo un cuento sin enfoque ni atadero, o, si se quiere, una serie de cuentos mal contados, en suma. Aún hay que citar, en posición intermedia entre el cuento y el cuadro, las regocijadas páginas de *El roque y el bronquis,* de las mejores que "El Solitario" produjo y sin disputa las más graciosas. Los bailes de candil que acaban a palos fueron siempre muy del gusto de nuestros costumbristas —el ejemplo de don Ramón de la Cruz no debió de se ajeno a esta preferencia—, pero esto, que llegó a ser un lugar común, es casi lo de menos en el cuadro de Estébanez, y los antecedentes y las

---

[44] No contento con encabezar su escrito con largas citas de la *Segunda Celestina* y de las coplas de Rodrigo de Reinosa, Estébanez dota a su personaje de la más peregrina erudición. Véanse estas extraordinarias frases: "si de poco acá comenzaste a saber y deprender, bueno es que pronto tomes borlas, si no de Salamanca o de Alcalá, al menos de las que en Sevilla, Valencia, Granada y Madrid ponen las Garduñas, las Floras, las Elisas y otras doctoras, mis hermanas y mis iguales". (*Escenas,* pág. 177.)

[45] Que se trata de algo pretérito es cosa explícitamente declarada: "Innumerables fueran los cuadros que de sucesos tan trágicos y lastimosos pudieran sacarse a luz...", pero "felizmente, en los tiempos que alcanzamos, las costumbres han adelantado lo bastante para que la Celestina se considere como un peón que sobra y como pieza que no tiene aplicación" (ibíd., pág. 181). Como esto, por desgracia, no es cierto, ni lo fue nunca, todo quiere decir que a estos costumbristas nuestros les faltó siempre el valor de enfrentarse con realidades torvas y desapacibles, que preferían ver en los libros. Personalmente, Estébanez no parece que fuese ningún timorato, como tal vez lo fue Mesonero; debieron de inhibirlo sus convicciones literarias y su temor al público.

prevenciones del narrador y los latines del inglés nos divierten más que las *costumbres* descritas.

Aunque "El Solitario" anteceda cronológicamente a Mesonero, esto no quiere decir, naturalmente, que todas sus escenas sean anteriores, y, como en el caso de *La Celestina,* puede ocurrir que "El Curioso Parlante" le haya precedido en el desarrollo de algún tema. Así ha ocurrido también en el caso de *El roque y el bronquis,* que es de 1846, posterior a *La capa vieja y el baile de candil,* publicado en 1833, excelente cuadro, y de aquellos de Mesonero que más se aproximan a lo que nosotros llamaríamos hoy cuento. Salvo ciertas vagas semejanzas de asunto, nada hay que indique la menor influencia de Mesonero sobre el de Estébanez, y nosotros preferimos resueltamente el suyo.[46]

Aún cabría decir algo sobre *Pulpete y Balbeja,* sobre *Los filósofos en el figón.* En estos cuadros ha querido "El Solitario" repintar ciertos caracteres de muy añeja tradición, y, como en el caso de *La celestina,* los recuerdos de lecturas se han interpuesto entre el escritor y su realidad, y mermado el logro. Más que una trasposición de motivos de hoy, que pudieran ser motivos de siempre, a un idioma que les asegure la eternidad y los ponga a par de grandes creaciones del pasado, los cuadros de Estébanez parecen esta vez mera copia de rancios modelos, y no es ciertamente la envejecida germanía que garlan lo que les asegura la perduración. Estos escritos, que han sido quizá los más famosos de Estébanez, son los que menos pueden interesarnos aquí. Desde el punto de vista de la concepción y técnica del cuento moderno, están mucho más lejos de él que pudiera estarlo *Rinconete y Cortadillo,* con la espontaneidad y autenticidad en menos.

Sería muy difícil determinar con precisión cuál fue la influencia de "El Solitario" sobre sus contemporáneos. Ni en sus mismos días debió de ser su lectura fácil y grata a toda clase de lectores, y más tarde no fue estimado cuanto debiera. Los novelistas andaluces parecen haberlo ignorado, si se exceptúa a Valera. Figura aislada, un

---

[46] Sobre los sucesos políticos a que *El roque y el bronquis* alude al final, véase Pirala, *Historia contemporánea. Anales desde 1843,* I, Madrid, Tello, 1875, pág. 425.

poco enigmática, se mantiene al margen del tráfago literario, conservando siempre la misma distinción desdeñosa. Aún espera un crítico que sepa sacar de la sombra su figura y que sepa valorar su obra. Breve fue ésta y pocas las páginas verdaderamente imperecederas que contiene. "El Solitario" fue perezoso y lento. Sin embargo, esas escasas páginas son de oro, de lo mejor que produjo la época isabelina y de lo más evocador que queda de ella. (No habría que olvidar en la exhumación algunos breves poemas de un exquisito "perfume histórico", como aquel famoso pañuelo, de que hay mención en dos literaturas, que olía "a violetas y a amor".)

En estos últimos años, su figura ha cobrado nuevo relieve. En 1929, Azaña le dedica unas páginas lúcidas y penetrantes; por desgracia, tan revesadas como escritura, que no hacen gran honor al estilista que, a contrapelo, se obstinó en ser Azaña.[47] En ellas, no obstante, y esto es lo que más importa, queda clara la extraña figura de Estébanez, en sus días, entregado a un costumbrismo irrealista, anómalo, tan distante del común y corriente, que si éste tenía éxito, el suyo no podía tenerlo. Tratándose de Valera, era forzoso volver a Estébanez, y yo mismo, con otros puntos de vista, he tratado de poner cierta claridad en lo que realmente hubo de aquella relación literaria.[48] En estos nuestros días puede decirse que la figura de "El Solitario" crece por sí sola. Se le han dedicado dos copiosos volúmenes de la nueva serie de la Biblioteca de Autores Españoles, ejemplarmente editados por don Jorge Campos, quien los ha acompañado de una pormenorizada biografía, de toda la bibliografía deseable y de otras muchas referencias eruditas, sobremanera valiosas, aunque se lamente la omisión de páginas no coleccionadas, que ése era el gran momento de reunir en un cuerpo completo. Esta publicación ha suscitado algún sabroso comentario,[49]

---

[47] *Valera en Italia. Amores, política y literatura*, Madrid, Páez, 1929, págs. 124 y sigs.

[48] V. mi libro *Valera o la ficción libre*, Madrid, Gredos, 1957, pág. 58.

[49] Una excelente apreciación de la poesía de "El Solitario" puede admirarse en el artículo de José Luis Cano *Actualidad de "El Solitario"*, en *Clavileño*, 1956, VII, núm. 39, págs. 51-55.

y es lástima que no fueran éstos más abundantes, pues el asunto valía la pena.

Pero aun estos últimos y estimables trabajos no se hurtaban al tópico tradicional. Don Jorge Campos, escrupuloso biógrafo y bibliógrafo, no cree necesario entrar en análisis detallados de la obra y del estilo de Estébanez. Y si algún amigo del autor, como don Emilio García Gómez, va un poco más allá, y si se hace cargo de ciertas anomalías de aquel mirífico estilo, acepta éste, sin embargo, como una creación superior.[50] Aún queda quehacer.

* * *

Puesto que de figuras excepcionales hablamos, será necesario decir aquí dos palabras sobre don José Somoza (1781-1852), pues no se nos ofrecerá en otra parte lugar de hacerlo. A primera vista se diría que Somoza, mucho mayor que Mesonero, pudo influir en la obra de éste, al que supera además en los breves cuadros de costumbres que le debemos. No aparecieron, sin embargo, sino mucho después de comenzar Mesonero su tarea en las *Cartas españolas,* y es posible que a instigación suya, pues en el *Semanario pintoresco* se publicaron. A pesar de ello, es justo que se haga mención de él antes que de otros costumbristas, pues por su espíritu Somoza pertenece al siglo XVIII. Es una de esas raras figuras que hacen ver las posibilidades artísticas de los años finales de aquella centuria, posibilidades, por desgracia, casi todas malogradas. Fragmentos como *Usos, trajes y modales del siglo pasado,* o *La Duquesa de Alba y Fray Basilio,* o *Una anécdota de Pedro Romero,* o *El pintor Goya y Lord Wellington,* más divulgado que los otros, tan ricos de color y tan evocadores, son prueba de ello. Nada de cuanto de Somoza nos resta tiene relación alguna con la novela. Somoza, excelente narrador de anécdotas y recuerdos, no hace ficción de ninguna

---

[50] *Silla del Moro...,* Madrid, Revista de Occidente, 1948, págs. 179-181.

clase, ni crea ni inventa nada. Es un *memorialista,* en el sentido francés de la palabra, que, por desgracia, ni siquiera dejó completas las memorias de su filosófica vida, que hubieran sido un gran libro.[51]

---

[51] Las *Obras* de don José Somoza, *Artículos en prosa,* se publicaron en 1842. Gran parte de esos artículos fueron reproducidos por Cueto en su compilación de *Poetas del siglo XVIII,* Rivad., LXVII, págs. 453-464; algunos figuran también en los *Apuntes para una biblioteca de escritores españoles contemporáneos,* de Ochoa, II, París, Baudry, 1840, págs. 751 y sigs. Mesonero publicó en el *Semanario Pintoresco* numerosas contribuciones de Somoza, y creo que por primera vez: *Usos, trajes y modales del siglo pasado,* 1837, II, pág. 149, anónimo; *La vida de un diputado a Cortes,* 1838, III, págs. 476; *El pintor Goya y Lord Wellington,* ibíd., pág. 633; *La Duquesa de Alba y Fray Basilio,* ibíd., pág. 644; *El Tío Tomás y los zapateros,* ibíd., págs. 668, 700; *Una conversación del otro mundo entre el español Cervantes y el inglés Shakespeare en que intervienen otros personajes y se da una idea de nuestra poesía lírica del siglo XVII,* ibíd., pág. 694; *Costumbres de lugar. Un alcalde en este año,* ibíd., pág. 732; *Usos y trajes provinciales. Los charros de Salamanca,* ibíd., pág. 788, artículo informativo mucho más breve y superficial que los que, con el mismo carácter, publicaba por entonces Enrique Gil. Más tarde dio a luz aún en la misma revista *Una anécdota de Pedro Romero,* 1842, VII, pág. 37. En 1840-1841 *El Panorama* publicó las *Memorias de Piedrahita, Mi primera sensación benéfica* y *El duelo.* Hay una edición moderna de las *Obras* de Somoza, con muchas inéditas, ordenada por J. R. Lomba y Pedraja, Madrid, 1904; v. sobre ella la importante reseña de Le Gentil, *Bulletin Hispanique,* 1906, VIII, págs. 212-218.

III

Volvamos a Mesonero, y con él al costumbrismo más corriente y común en aquel siglo. Del grupo de costumbristas de las *Cartas Españolas* Mesonero será el más popular y el que más contribuya a difundir un género que en un comienzo se confiesa en todo dependiente de los escritos de Jouy, de *L'Hermite de la Chaussée d'Antin* sobre todo. Se diría que en un principio todos trabajan con el libro de Jouy sobre la mesa,[1] a pesar de tantos precedentes españoles como todos invocan. Pero, por fortuna, esta vez la fuerza de las cosas ponía un límite a la imitación. Aunque se siguieran determinados procedimientos y se hiciera gala de ciertos artificios, si de "costumbres" se trataba, necesario era parar mientes en las circunstancias españolas, detenerse a observarlas menudamente; el mayor servilismo apenas permitía retener algunas fórmulas de composición. Jouy, tan olvidado hoy, más que un modelo, iba a ser bien pronto para los españoles un estímulo.

---

[1] Alguna vez Larra se complace en mostrar el juego: "La cosa segunda que vi fue que al hacer este sueño no había hecho más que un plagio imprudente a un escritor de más mérito que yo. Di las gracias a Jouy, me acabé de despertar..." (*Revista del año 1834, Obras,* París, Garnier, 1870, II, página 275. Sobre la influencia del francés sobre el español v. W. S. Hendrix, *Notes on Jouy's Influence on Larra, Romanic Review,* 1920, XI, pág. 37). Mesonero no cita a Jouy en el prólogo al *Panorama* ni en la Advertencia a las *Escenas,* pero en el artículo *Las costumbres de Madrid* recuerda las "elegantes plumas de Addison, Jouy y otros", y añade que se propuso "aunque siguiendo de lejos aquellos modelos y adorando sus huellas" presentar al público español sus cuadros (ed. cit., pág. 27). *El aguinaldo,* ibíd., pág. 221, toma pie en un artículo de la "preciosa obra" del "erudito M. de Jouy". Larra, en el segundo de sus artículos sobre el *Panorama,* no deja de llamar a Mesonero "imitador felicísimo de Jouy" (*Obras,* III, pág. 99).

Creo que Le Gentil exagera no poco al establecer entre Jouy
y los costumbristas españoles un paralelo tan poco favorable a
éstos, que el erudito francés llega a decir: "De 1830 à 1850 on peut
dire que les Espagnols n'ont vu leur pays qu'à travers de reminis-
cences françaises".[2] Él mismo se contradice cuando en otro trabajo
aparecido al mismo tiempo que el citado, examinando la evolución
de Mesonero, señala cómo se va liberando de la tutela francesa.[3]
En general, Le Gentil es demasiado perentorio en sus indicaciones
de "fuentes". Si *El castellano viejo* de Larra depende en algo del
Repas ridicule de Boileau, no es ciertamente de éste de donde ha
salido la figura de Don Braulio y todo lo que implica y supone.[4]
Aceptemos que Mesonero haya sido instigado por el artículo *Une
maison de la rue d'Arcis,* de Jouy, a escribir el suyo *La casa de
Cervantes.* ¿Será aquello lo que le haya hecho *ver* esto? Para nosotros, a quienes el costumbrismo interesa sólo en la medida en que
fue avezamiento a discernir y captar las realidades españolas, esta
cuestión de la influencia de Jouy o de otros tiene un atractivo muy
secundario. ¿Contribuyó el magisterio de los costumbristas franceses a torcer o falsear la visión de los nuestros?[5] No creo que

---

[2] *Le poète Manuel Bretón de los Herreros,* París, 1909, pág. 245.

[3] "L'influence de l'Hermite est particulièrement sensible dans les premiers croquis madrilènes [*El retrato, La calle de Toledo, La comedia casera,
Las visitas de días*]. Mais déjà il commence à s'émanciper (cfr. *Las costumbres de Madrid*) de la tutelle française" (*Les revues littéraires,* pág. 28).
V. en *Bretón de los Herreros,* págs. 238 y sigs., la lista, muy exagerada, de
los artículos de Mesonero que han recibido la influencia de Jouy; de creer el
autor, apenas hay uno solo que se libre de esa influencia.

[4] En cuanto puedo apreciar, Larra sólo toma de Boileau dos rasgos enteramente accesorios; vv. 25-28:

Molière avec Tartuffe y doit jouer son rôle,
Et Lambert, qui plus est, m'a donné sa parole;
C'est tout dire en un mot, et vous le connaissez.
—Quoi! Lambert? —Oui, Lambert. —A demain, c'est assez.

y 230-236:

... si pour l'avenir
En pareille cohue on me peut retenir,
Je consens de bon coeur...
Que tous les vins pour moi deviennent vins de Brie... etc.

[5] En ocasiones se llega a traducir no ya de una lengua a otra, sino de
unas costumbres a otras. Véase en *Semanario Pintoresco,* 1838, III, pág. 849,

pueda afirmarse tal cosa, ni cuando motivos de patriotismo local vejado les hacen reaccionar en son de polémica, ni cuando la insistencia de los turistas extranjeros en la explotación de la españolada les descubre aspectos pintorescos y típicos que antes ignoraban. Las realidades españoles que van a descubrir bien pronto para enriquecer con ellas los escenarios del cuento y de la novela no serán de la misma clase que las preferidas por el costumbrismo francés; lo mejor que en este sentido se hará en España será popular, el bajo pueblo como héroe, el pueblo rural, *folklórico*. La reacción contra los primeros entusiasmos llega pronto. "Al mismo tiempo que me confieso —dirá Mesonero— imitador del género puesto a la moda por el inmortal autor del *Ermitaño de la calle de Antin*, he huido cuidadosamente de copiar ideas y pensamientos, y sí sólo de consignar en mis discursos la impresión que en mí produjeron los objetos que me rodean."[6] Estas discretas palabras describen bien la curva evolutiva del costumbrismo; la imitación no podía ya ser de otro modo.

Tanto más cuanto que este súbito interés por las "costumbres" tenía una causa más honda que no una simple veleidad literaria, y ello bastaría a explicar la índole del género, por qué fue como fue, por qué no pudo apegarse más a tradiciones extinguidas. Los costumbristas españoles han definido más de una vez su obra como testimonio de la transición española, del hondo cambio sufrido por la nación entre los días del antiguo régimen y el tormentoso período de la primera guerra civil. Aún más adelante, en tiempos

---

un curioso escrito en que se traduce una novelita francesa de costumbres de la Auvergne bajo el título de *Los gallegos,* no sin explicar previamente que unos y otros se equivalen. La anécdota, un engaño de que un campesino astuto hace víctima a un comerciante ingenuo, que hubiera podido ocurrir no importa dónde, se traspone a circunstancias españolas y el protagonista es ahora un gallego de los que vienen a Madrid a hacer fortuna rápidamente. Cuando se toma pie en un escrito extranjero con relación a cosas nuestras, es siempre para combatirlo o rectificarlo; v. ibíd., 1839, IV, pág. 94, el artículo de J. Arias Jirón *Las Batuecas,* que comienza combatiendo especies divulgadas por Mme. de Genlis. No es precisamente un artículo de costumbres y no ofrece gran interés.

[6] Mesonero, en *Revista española,* 1833, pág. 13; ap. Le Gentil, *Les revues,* pág. 24.

en que la España anterior a 1812 no era sino un remoto recuerdo histórico, cada vez que vemos aparecer un costumbrista consciente de su obra, oiremos de su boca la afirmación del mismo propósito: dar fe de un cambio, de una revolución, de una evolución que ha transformado la faz de todo el país o de alguno de sus rincones pintorescos, y desahogar, entregándose al recuerdo, la nostalgia de todo lo desaparecido y olvidado. Así lo harán repetidamente Fernán Caballero, Trueba, Alarcón, Pereda y muchos otros; ninguno con frase tan cruda como "Fígaro", tratando precisamente del *Panorama matritense:* nuestra Península "ni ha dejado enteramente de ser la España de Moratín, ni es todavía la España inglesa y francesa que la fuerza de las cosas tiende a formar".[7] "Los españoles —había dicho Mesonero de manera más difusa—, aunque más afectos en general a los antiguos usos, no hemos podido menos de participar de esta metamorfosis que se deja sentir tanto más en la corte por la facilidad de las comunicaciones y el trato con los extanjeros..., la mayor frecuencia de los viajes exteriores, el conocimiento muy generalizado de la lengua y la literatura francesa, el entusiasmo por sus modas y más que todo la falta de una educación sólidamente española, y se conocerá la necesidad de que nuestras costumbres hayan tomado un carácter galo-hispano peculiar del siglo actual... Es muy cierto que... han quedado aún (principalmente en algunas provincias) muchos [usos] característicos de la nación, si bien todos... reciben paulatinamente cierta modificación que tiende a desfigurarlos."[8] De aquí la tendencia a buscar lo castizo y a satirizar lo moderno y extranjerizado, a evocar el recuerdo calmante de la pachorrenta vida de antaño, y la inquietud maravillada ante la vertiginosa vida moderna. Este vértigo se manifiesta en todo; el siglo, que parece ignorar lo que quiere, sólo quiere verdaderamente esto: cambiar de postura. "...el espectáculo de nuestras costumbres actuales, de estas costumbres indecisas, ni originales del todo, ni del todo traducidas, ni viejas ni nuevas, ni buenas ni malas, ni serias ni burlescas; esta mezcla de nuestros propios gustos con los gustos sorprendidos en el extranjero; este refinamiento del lujo al

---

[7] *Obras,* III, pág. 98.
[8] *Panorama,* pág. 24.

lado de la más espantosa miseria; esta inconstancia de ideas que nos hace abandonar hoy el proyecto de ayer... y ensayarlo todo y todo exagerarlo; y llevar el género clásico-retrógrado hasta dormir, y el romántico-progresivo hasta accidentarse...; y correr desde los toros hasta la ópera italiana, desde la tribuna al sermón..., desde lo pasado al porvenir y de lo presente al pasado; desde el año 8 al 14 y del 14 al 8, del 23 al 14 y del 33 al 20": [9] esta falta de una idea rectora de la época y de un definido carácter de ella es la razón de ser del costumbrismo. Y la nostalgia de lo que se va, aunque sea malo, pobre o incómodo, por lo que evoca de energía, salud y carácter. "...el brasero se va como se fueron las lechuguillas y los gregüescos, y se van las capas y las mantillas; como se fue la hidalguía de nuestros abuelos y se va nuestra propia existencia nacional. Y la chimenea extranjera y el gorro exótico y el paletó salvaje y las leyes, y la literatura extraña y los usos y el lenguaje de otros países se apoderan ampliamente de esta sociedad que reniega de su historia, de esta hija ingrata, que afecta desconocer el nombre de su progenitor..."[10] Todo se vale: el brasero, las capas y la hidalguía de nuestros mayores.

Este vértigo moderno pone a prueba las facultades del retratista, y Mesonero habrá de renunciar a seguir el movimiento acelerado del siglo, habrá de renunciar a retener esos rasgos cambiantes. "En vano el pintor fatigado la persigue y estudia [la sociedad moderna], copiando sus movimientos, sus actitudes, sus tendencias; trabajo inútil; la sociedad se le escapa de la vista, el modelo se le deshace entre las manos; imposible sorprenderla en un momento de reposo, y sólo echando mano de los procedimientos velocíferos de la época, del vapor, de la fotografía y de la chispa eléctrica, puede acaso alcanzar a seguir su senda rápida e indecisa..."[11] La

---

[9] *Mi calle, Escenas*, pág. 44. Véase sobre esa rapidez de la evolución otro importante pasaje, ibíd., pág. 41.

[10] *Al amor de la lumbre o el brasero, Escenas*, pág. 388.

[11] *Adiós al lector, Tipos y caracteres*, pág. 10; comp.: "Valgámonos para el desempeño de nuestra difícil tarea de los procedimientos velocíferos del siglo..., hagamos en vez de un esmerado retrato al óleo un inmenso bosquejo a la aguada, y, si esto no basta, préstenos el daguerreotipo su máquina ingeniosa, la estereotipia su prodigiosa multiplicidad" (*El pretendiente,*

verdadera novela hubiera dado cima al empeño; Galdós logrará lo que no logró Mesonero.

Accesoriamente, el costumbrismo nace de otra necesidad. La vida moderna, que ha aproximado lo español a lo extranjero, no ha conseguido, paradójicamente, la aproximación contraria. Los viajeros que recorren nuestro país siguen teniendo una visión inexacta, cuando no absurda, de las cosas españolas; necesario es oponer a sus pinturas descabelladas otras parecidas al objeto y verídicas. Mesonero declara que el pensamiento que informó sus artículos "fue el de reivindicar la buena fama de nuestro carácter y costumbres patrias, tan desfiguradas por los novelistas y dramaturgos extranjeros, oponiendo a ellos una pintura sencilla e imparcial de su verdadera índole y sus cualidades indígenas y naturales, sin exageración y sin acrimonia".[12] No sería difícil encontrar contradicciones en esas palabras, tan mal escritas, y entre ellas y las citadas antes; entendemos que Mesonero se queja de desconocimiento e inexactitud, más bien que de las célebres "calumnias" de los explotadores de la "España de pandereta", aunque éstas no le son desconocidas: "...así es como en muchas obras publicadas en el extranjero de algunos años a esta parte con los pomposos títulos de *La España, Madrid* o *Las costumbres españolas*... se ha presentado en unas a los jóvenes de Madrid enamorando con la guitarra, en otras a las mujeres asesinando por celos a sus amantes, a las señoritas bailando el bolero, al trabajador descansando de no hacer nada; así es como se ha hecho de un sereno un héroe de novela, de un salteador de caminos un Gil Blas, de una manola del Avapiés una amazona; de este modo se han embellecido la plazuela de Afligidos, la Venta del Espíritu Santo, los cocheros, el coche de colleras y los romances de ciego, dándoles aires a lo Walter Scott, al mismo tiempo que se deprimen nuestros más notables monumentos...; y así, en fin,

---

en *Los españoles pintados por sí mismos,* I, pág. 62; *Tipos y caracteres,* pág. 66).

[12] Prólogo al *Panorama,* pág. 11. V. ibíd., págs. 23-28, el artículo *Las costumbres del día,* donde se insiste en el mismo propósito y se anuncia como medio de conseguirlo una pintura de la sociedad entera, "las costumbres de lo que en el idioma moderno se llama buena sociedad, las de la media y las del común del pueblo".

los más sagrados deberes, la religiosidad, el valor, la amistad... han sido puestos en ridículo y presentados como obstinación, preocupación, necedad y pobreza de espíritu."[13] Mesonero, que ya en 1833 pretendía oponerse a las caricaturas de España "presentando sencillamente la verdad",[14] se aflige de las deformaciones más que de las actitudes hostiles; así comprenderemos que pretenda una vindicación de España en artículos que él mismo califica de satíricos y que en todo caso se demoran más en la censura o en la burla que en el panegírico.

Pasemos a ver más justificaciones de este costumbrismo que cualquiera creería cosa vitanda, tantas ha menester. El costumbrista examina una realidad que escapa al historiador; la esencia misma de la vida nacional pasa a sus páginas. "Esta pintura, desdeñada por el historiador y exagerada en pro o en contra por viajeros y poetas satíricos, es tanto más importante cuanto que nos ofrece un espejo fiel en que mirar nuestras inclinaciones, nuestros placeres y también nuestras virtudes... y puede ofrecernos más modelos que seguir y más escollos que evitar que la misma historia, por la sencilla razón de que hay más Juanes y Mengas que Titos y Dioclecianos, que la mayor parte de los hechos y dichos de los varones célebres de Plutarco parecerían ridículos en un mercader de la calle de Postas."[15] Fernán Caballero pensará lo mismo, pero en detrimento del héroe de Plutarco. Despojado de esa impertinente coletilla, el pasaje citado recuerda un poco ciertas pretensiones del prólogo de *La Comédie humaine* (1842), bien que las de Balzac fueran aún más ambiciosas: hacer una historia social que fuera algo como una historia natural del hombre. Nuevamente Mesonero tangentea la órbita de la novela moderna; sólo los procedimientos de ésta podían asegurar el éxito de la empresa así planeada.

Testimonio de la transformación de España, revelación de una intimidad española que escapa a la historia... El costumbrismo se enfrenta con la realidad contemporánea, se pone al estudio de las circunstancias nacionales sin perder nunca de vista lo problemático

---

[13] *Las costumbres de Madrid* (enero 1832), *Panorama*, págs. 24-25.
[14] *Revista española*, 1833, pág. 13; ap. Le Gentil, *Les revues*, pág. 35.
[15] *La casa a la antigua* (1833), *Panorama*, pág. 322.

del designio y de los métodos. Un placer desinteresado, un interés puramente artístico, no es nunca, a lo que parece, el móvil de un escritor de costumbres. Sólo la fabulación irresponsable se ha sentido siempre justificada y segura de sí. Cuanto se aproxima a lo que se ha llamado realismo, consciente de su problematicidad, ha buscado su justificación en la moral, en la ciencia, en la sociología, en mil cosas ajenas al arte mismo.

Pero aún nos hallamos ante otras cuestiones que plantea esta literatura costumbrista; primeramente, la que atañe a la materia que va a transformar en obra de arte. ¿Qué es esto de las costumbres? ¿Qué se propone estudiar Mesonero? Nos habla de la sociedad, y ve en ella principalmente *tipos,* en nueva coincidencia con el realismo, o mejor dicho, con el *fisiologismo* francés. Según el plan que se ha propuesto, Mesonero podrá recorrer a placer "todas las clases..., desde el grande de España hasta el mendigo, desde el literato al bolsista, desde el médico al abogado, desde la manola a la duquesa", todos ellos vistos en determinados momentos —aquí el costumbrismo español recobra su originalidad— "alternando en la exhibición de estos tipos sociales la de los usos y costumbres populares y exteriores, tales como paseos, romerías, procesiones, viajatas, ferias y diversiones públicas...; la sociedad, en fin, bajo todas sus fases, con la posible exactitud y variado colorido".[16]

A lo largo de un examen detenido del costumbrismo podemos comprobar cómo en la comprensión del nuestro hay que tener en cuenta una falta, o más bien, una insuficiencia de traducción; *costumbres,* tal como Mesonero acaba de definir la palabra, no traduce la francesa *moeurs,* a la atracción de la cual debe su nuevo empleo. El costumbrismo español resulta estrecho frente a la "littérature de moeurs" francesa porque el término castellano disminuye el alcance del francés. Por *moeurs* los franceses han entendido siempre todos los resortes morales del hombre y de la sociedad. El español ha podido emplear como perfectos sinónimos *usos y costumbres (us et coutumes),* mientras que en este sentido *us et moeurs* sería imposible. Un equivalente de la palabra *moeurs (mores)* falta en caste-

---

[16] *Panorama,* pág. 13.

llano;[17] desde antiguo se ha empleado en esta acepción *costumbres,* y así ha podido decirse de alguien que tiene "buenas, o malas, costumbres"; fatalmente, a la larga, habían de surgir equívocos. Es claro que Mesonero no ignoraba enteramente el concepto del género, y cuando, después de acogerse al ejemplo de Addison, le llama "célebre moralista",[18] o cuando, increpando a escritores que sólo pueden ser los "romanciers de moeurs" franceses, los designa como "pretendidos moralistas modernos",[19] muestra que el matiz no se le escapa, aunque en casos tales hablará más bien de *fisiología* y *fisiologistas,* como para distinguir escritores de escritores. Pero la significación corriente de la palabra *costumbres* se le imponía con demasiada fuerza y le hacía olvidarse de que las que importaba estudiar no se reducían a paseatas y procesiones. De aquí la superficialidad *moral* del costumbrismo, tanto más sensible cuanto más contrasta con su afición a lo pintoresco. El *roman de moeurs* es un primer avatar de la novela psicológica; entre nosotros, el cuadro de costumbres, novelado o no, poco tiene que ver con ella.

Larra vio mucho más claro en este asunto, porque era más agudo y, sobre todo, porque su conocimiento de la literatura fran-

---

[17] Ochoa, a quien sus largas residencias en Francia habilitaban sin duda para ver la diferencia, se hace cargo de ella en un escrito bastante posterior; "...tengo por artículo de fe el profundo dicho de Cicerón: 'Quid leges sine moribus?'...; aprecio más cualquier esfuerzo encaminado a dirigir bien el espíritu nacional... que las leyes mismas. (Tales son... las costumbres de que habla el gran filósofo romano.)" (*París, Londres y Madrid,* París, Baudry,, 1861, pág. 447). En cambio había podido decir Alarcón pocos años antes (1858): "Los artículos de costumbres no están ya de moda. ¡Cómo han de estarlo (perdonadme la rudeza de la expresión) *si no se estilan ya las costumbres*!!!" No se estilan en Madrid, pero aún quedan en provincias. Quédense para otros pueblos las ferias animadas y bulliciosas, en que... acuden... caravanas de mercaderes... en que se ven tantos bailes como tiendas de campaña, tantos cuadros de costumbres como familias de mercaderes, tantas comilonas como tratos cerrados". (*Cosas que fueron,* Madrid, Tello, 1882, pág. 55, 58-59).

[18] *Antes, ahora y después* (1837), *Escenas,* pág. 203.

[19] "Vosotros, pintores apasionados de las debilidades humanas, pretendidos moralistas modernos, novelistas y dramaturgos, escritores de conveniencia que os atrevéis a fulminar el dardo envenenado de vuestra pluma contra la sociedad entera..." (*El miércoles de ceniza* (1839), *Escenas,* página 344).

4

cesa y de las cosas de Francia era muy superior en profundidad y exactitud. Sin decirlo, sin insistir sobre ello, da a entender claramente que su visión de la literatura de costumbres es distinta de la de Mesonero; ello es patente en los artículos que dedicó al *Panorama matritense*, artículos de mucha enjundia, tanto en lo que tienen de positivo como en lo negativo, pues en ellos hay una repulsa de la literatura de costumbres superficial, insustancial, toda entregada a la descripción de cosas efímeras y sin interés. Está claro que lo que cuenta para Larra es el estudio del hombre y de la sociedad, y así, al hacer historia, todo se le vuelve costumbrismo. Él, poco erudito en cosas de la vieja España, no citará aquellos raros costumbristas que hacían las delicias de "El Solitario", pero bajo su pluma la mención de antiguos precursores es más pertinente y coherente que bajo la de Mesonero. Como éste, citará a Cervantes, Alemán, Quevedo, Vélez, a los que añadirá al autor de *La Celestina*... y Lesage, es decir, autores que en el sentido de la palabra francesa pueden considerarse como moralistas. Y se revuelve contra tendencias modernas que podrían acogerse bajo la bandera de Mesonero, contra el costumbrismo frívolo, estupidizado, reproducción ininteresante de tipismos pintorescos. Larra nota la aparición del costumbrismo provinciano, la exageración de sus procedimientos, la extensión de este costumbrismo a la literatura de viajes y el carácter forzosamente pasajero de productos tan poco sustanciales. (Larra no parece aquí muy convencido de que la literatura de costumbres deba ser archivo de usos populares perecederos y en trance de desaparecer.) "Hay libro de este género que... no es verdad más que el día en que ve la luz; fundada sobre una parte de los usos y costumbres [nótese aquí el empleo de la palabra], condenada como el mar a un continuo flujo y reflujo, muere la obra con la costumbre que ha pintado."[20] Las simpatías de Larra caen del lado del costumbrismo balzaciano, si cabe llamarlo así; del que informa la novela como del que suscitó aquellas curiosas derivaciones, las *fisiologías*, que ya estaban de moda en Francia y que pronto habían de estarlo entre nosotros; el costumbrismo hecho arte hondo o análisis

---

[20] *Obras*, III, págs. 88 y sigs.

exacto. Justamente en los artículos dedicados al *Panorama* leemos las frases entusiastas de Larra sobre Balzac que es poco probable consiguieran la aprobación de Mesonero, quien, si las leyó con atención, debió de comprender que implicaban una cierta condenación de su libro.

Desgraciadamente, el que triunfó, y no sólo por aquellos años, fue el costumbrismo de "El Curioso Parlante", estudio bastante chato de usos populares —bajo pueblo y burguesía media—, tipificación sumaria de clases sociales en ejemplares lo más lejos posible de toda singularidad por miedo pacato a las "personalidades". "Nadie podrá quejarse de ser el objeto directo de mi discurso, pues debe tener entendido que cuando pinto no retrato",[21] frase que más tarde habrá de repetir Pereda, aunque "retrataba" mucho más. Desde la aparición del *Panorama* quedan fijados los dos géneros de nuestro costumbrismo: el *tipo* y la *escena*. La maestría en el desempeño podrá ser mayor o menor. "El Curioso Parlante" se emancipará más o menos de sus modelos franceses; la esencia no cambia, por mucho que pueda aumentar la ranciedad del estilo, el *casticismo* de la forma. Sobre esto hará mucho hincapié el autor. Si en el *Panorama* asegura que, apasionado como era de "nuestros buenos escritores de los siglos XVI y XVII, procuró tenerlos presentes y seguir sus huellas, ya que no en la forma, en la intención y en el estilo", y que "embebido en este estudio se olvidó bien pronto de los modelos extranjeros, prefiriendo ser imitador de los propios a triunfar o competir con aquéllos"[22] —luego veremos lo que hay de eso—, en las *Escenas* insiste en este esfuerzo suyo por "emanciparse de los modelos extranjeros que no pude menos de tener presentes en la

---

[21] *Panorama*, pág. 22; cfr. "los caracteres que forzosamente había de describir no son retratos, sino tipos o figuras, así como yo no pretendo ser retratista, sino pintor". (*El observatorio de la Puerta del Sol, Escenas*, página 23). Es natural que Larra haga con frecuencia salvedades parecidas, las salvedades de todos los satíricos, cuyo origen clásico no ocultaba el autor (v. la cita de Fedro que sirve de epígrafe a *El café*, ed. Clásicos Castellanos, pág. 21). Como los batuecos eran el diablo para esto de entender alusiones, bueno era curarse en salud. Larra, pues, también dirá: "Sólo hacemos pinturas de costumbres, no retratos" (*Obras*, I, pág. 128; cfr. ibíd., pág. 58).

[22] *Panorama*, pág. 15.

primera parte".[23] Esto último sin duda es cierto, pero no lo es tanto
como pretende el autor, que de una serie a otra sea discernible una
evolución considerable, y si la hay no es seguramente en el sentido
de la ficción. Se diría, al contrario, que Mesonero se hace cada vez
más *ensayista,* lo que no obsta que sean las *Escenas* el libro
donde encontramos los cuadros mejor conseguidos y compuestos
según las intenciones del autor. Él quisiera hacernos creer que su
visión es más honda en las *Escenas,* que en ellas "quiso penetrar
más hondamente en el seno de la vida íntima de nuestra sociedad,
sin limitarse como en aquélla a los usos populares, a la vida exterior...; renunció muchas veces en la exposición de sus cuadros al
recurso monótono de colocarse en ellos en primer término", etc.,[24]
pero basta hojear ambos libros para convencerse de que no hay
tal cosa, y que si algo nuevo hay es un exceso de consideraciones
y observaciones que casi siempre están de más. En lo esencial, Mesonero permanece siempre fiel a sí mismo, aunque sus facultades
creadoras decaen sensiblemente, tanto que el autor llegó a no-
tarlo, y el *Adiós al lector* (1862) que precede a su último libro
costumbrista señala el creciente predominio de lo discursivo en sus
cuadros, y lo explica por el empeño de captar los aspectos más
varios de esta movediza sociedad que siempre se le escapa —es decir, que de todos los procedimientos posibles para conseguir esa
captación escoge el menos eficaz—. Allí se habla también de la
ambición de escribir una tercera serie de escenas que excediera los
límites del costumbrismo madrileño, y de cómo pretendió "ampliar
más y más sus cuadros y quitarles su carácter local y su forma de
caballete", pero "en vano pidió a la ciencia nuevos recursos para
dar mayor importancia, forma diversa, a sus estudios sociales". Esa
obra no se hizo, como no se hizo la famosa novela. Mesonero pretende que su "óptico instrumento no acertó a verse libre del propio
modelo objetivo (?) y *Escenas madrileñas* le brindaba su lente y
Tipos y caracteres madrileños le brotaba obstinadamente su pin-
cel".[25] Ya en las *Escenas,* y más aún en artículos posteriores, se

---

[23] *Escenas,* pág. 16.
[24] Ibíd.
[25] *Tipos y caracteres,* págs. 8, 9.

notan los esfuerzos que hace el autor por superarse, pidiendo a la "ciencia" medios para ello; lo que quiere decir que Mesonero rinde también tributo a la literatura "fisiológica" que hemos de examinar muy luego.

Atengámonos a lo más logrado. Al definir sus cuadros, "El Curioso" se incluye siempre, aun sin proponérselo, en el campo de la literatura novelesca. Ya vimos que los tales cuadros eran "narración", "narración novelesca"; oigamos ahora referir al autor los medios de que hubo de valerse para ejecutarlos: "Propúseme desarrollar mi plan por medio de ligeros bosquejos o cuadros de caballete en que, ayudado de una acción dramática y sencilla, caracteres verosímiles y variados, y diálogo animado y castizo, procurase reunir en lo posible el interés y las condiciones principales de la novela y del drama."[26] Hay aquí, en efecto, cuanto se puede apetecer: acción, caracteres, diálogo. Si el cuadro de costumbres no resulta novelesco, será por fracaso del autor.

* * *

Mesonero no pudo —nadie lo puede— hurtarse a su tiempo, por mucho que nadase contra la corriente. Antirromántico por educación, lo fue aún más por temperamento. Sin embargo, la nueva literatura no pasó por él sin dejar huella. Del romanticismo de escuela tuvo Mesonero una idea muy confusa, como puede verse en su célebre artículo *El romanticismo y los románticos* (septiembre, 1837), en el que la explicación teórica está erizada de frases sin sentido ("Unos han dicho que era lo ideal y romanesco, otros... que no podía ser sino lo escrupulosamente histórico...; algunos han asegurado que sólo era propio para describir la Edad Media...", etc.) y de disparates históricos curiosos (Hugo habría encontrado el romanticismo en el Seminario de Nobles de Madrid leyendo a Calderón.)[27] Mejor que estas cosas es la perspicacia con que discierne

---

[26] *Panorama*, pág. 12; *Memorias de un sesentón*, II, pág. 88.
[27] *Escenas*, págs. 114-115.

en la persona de su romántico, coincidiendo en ello con Galiano, probablemente por casualidad, que esa actitud romántica no lo era, sino reacción anticlásica. Las sátiras de Mesonero, como las de otros costumbristas antirrománticos, tendieron siempre a ridiculizar exageraciones que nada tenían que ver con la escuela, o insensateces y majaderías que del romanticismo no tomaban sino grotescos detalles, gestos y actitudes extremosos. Teniendo esto en cuenta se comprende por qué en el léxico de Mesonero este adjetivo aparece casi siempre con un matiz irónico o un sentido peyorativo, y el que se haga mofa de una fraseología que nada recomendaba.[28] "El Curioso Parlante" no puede sufrir "composiciones de esas de tumba y hachero", [29] las "coplas de fatalidad y ataúd"[30] ni los "fragmentos que apestan a pólvora y cera amarilla";[31] menos aún los "señores amargos que a los veinte años tienen ya carcomida la existencia".[32]

---

[28] Cfr.: "una de esas figuras que un escritor romántico no dudaría en calificar de siniestro bulto..., pero que yo, a fuer de escritor castizo, me limitaré a llamar... un escribano". (*El duelo se despide en la iglesia*, 1837, *Escenas*, pág. 88.)

[29] *El romanticismo*..., ibíd., pág. 124.

[30] *De tejas arriba* (1838), ibíd., pág. 276; *Al amor de la lumbre*, ibíd., pág. 387.

[31] *La guía de forasteros* (1842), ibíd., pág. 410.

[32] *El espíritu de asociación* (1839), *Tipos y caracteres*, pág. 128. En la línea de esas sátiras se encuentran otros artículos publicados en el *Semanario Pintoresco* antes y después que el famoso de Mesonero, y que remedan su actitud. Todos esos artículos son bien necios y llevan la deformación caricatural a extremos en que deja de ser cómica; por supuesto, la literatura romántica nada tiene que ver con que los tipos sacados a la vergüenza sean unos zarramplines. Véanse los artículos de Clemente Díaz, *Rasgo romántico* (1836), I, pág. 174, interesante al menos por la fecha; M. R. de Q., *Un romántico más* (1837), II, pág. 120, sátira de un tipo que se atiborra de lecturas que no digiere; contiene un trozo paródico bastante malo, pero que indica los tipos de descripción que entonces chocaban a la crítica; C. B., *Los poetas y la melancolía* (1840, V, pág. 54). En el tomo IV, 1839, se incluyó una reseña de las discusiones del Ateneo en que tomaron parte Martínez de la Rosa y Galiano; del Liceo, con participación de Moreno, Escosura y Espronceda, sin que esta vez asomen burlas por ninguna parte (pág. 192). Se reprodujo el artículo de Lista *De lo que hoy se llama romanticismo* (págs. 102-104) y creo que puede decirse que la posición de Lista, mesurada, pero resueltamente condenatoria, es la del director y redactores del *Semanario*.

La protesta de Mesonero contra este romanticismo es moral: un rebrote de la antigua enemiga española a contaminar la vida de literatura, sobre todo si esa literatura es antisocial y anárquica. Sus tiros van —y en esto se asemeja mucho a Larra— contra la inmoralidad del drama romántico y contra la selección de sus temas. No comprende Mesonero que los buenos burgueses vayan al teatro "todos los domingos y fiestas de guardar o de divertir... a pillar de paso, si pueden, una leccioncita moral, y la diversión que encuentren no sea nada menos que tres ajusticiados y un tormento, y la moral que suelen beber la que se destila de un suicidio y un par de adulterios".[33] Mesonero era aún demasiado moratiniano de espíritu —como lo era el mismo Larra en ocasiones— para no admitir una finalidad ética del teatro. Salvo este aspecto de su crítica, nada de lo que contra el romanticismo escribió afecta en realidad a la literatura, sino a ridiculeces sociales que no podían durar y no duraron.

En el antirromanticismo de Mesonero entra también por mucho su amor por la independencia, o lo que él cree tal. "¡Oh, qué fortuna no ser político, ni revolucionario, ni retrógrado; no ser poeta, ni clásico, ni romántico...!"[34] Cuando no se posee una fuerte personalidad no se es independiente de esta manera sin pagar un oneroso rescate; por ser así, es tan raro que Mesonero tenga carácter y no resulte sosote e inocentón.

---

[33] *El teatro por fuera* (1838), *Escenas*, pág. 290; véase ibíd., pág. 291, el curioso temario del drama romántico compilado por el autor. Comp. un divertido pasaje de *La calle de Toledo* (1832), *Panorama*, pág. 43, y las consideraciones satíricas sobre "el poeta bucólico" y el "autor de bucólica", sobre la desvergüenza y mala fe de los que pasan plaza de genios y su manera de confeccionar dramas románticos (*Contrastes*, en *Los españoles pintados por sí mismos*, II, págs. 503-504; *Tipos y caracteres*, págs. 103, 105). Este aspecto inmoral del romanticismo es sobre todo lo que determina que se rechace el francés, el drama romántico francés en primer término. Refiriéndose a la importancia histórica de los costumbristas, Le Gentil puede decir con razón: "la plupart de ces écrivains ont dit leur mot dans les polémiques et pris parti contre le romantisme français" (*Les revues littéraires*, pág. vi).

[34] *El observatorio de la Puerta del Sol*, *Escenas*, pág. 21; cfr. *La Guía de forasteros*, ibíd., pág. 414, profesión de una modestia que era en realidad un fanático amor a la independencia.

Contra la tendencia juvenil romántica, Mesonero se pone años. Cuando publicó su primer artículo en las *Cartas Españolas* tenía 29, y el tono que adopta es el de un personaje del antiguo régimen, no sólo porque esto sea "achaque ...natural y propio de los escritores de costumbres, que, anhelando siempre proceder por comparación con épocas anteriores, van a buscarlas... a las sociedades que no alcanzaron",[35] sino porque su machucho sentido común, su condición razonable y un poco pedestre le hizo siempre parecer sin edad. Su mismo programa rebosa moralidad antañona: "escribir para todos en estilo llano, sin afectación ni desaliño; pintar las más veces, razonar pocas, hacer llorar nunca, reir casi siempre; criticar sin encono, aplaudir sin envidia; y aspirar, en fin, no a la gloria de grande ingenio, sino a la reputación de verídico observador."[36] Este es el Mesonero ramplón que escribe libros con propósitos de maestro de escuela: "la moral y la verdad en el fondo, la amenidad en la forma, y la pureza y el decoro en el estilo";[37] éste nunca fue joven, siempre tuvo un regusto de rancidez desagradable. Por fortuna hay páginas suyas que, si no por la agilidad y el nervio, se salvan por un fuerte sabor de época y por cierta gracia zumbona de vejez sana, aunque escritas a veces en la juventud. Yo encuentro estas páginas más numerosas en el *Panorama* que en las *Escenas*.

Se puede tener poco carácter y poder apreciar el de todo lo que nos rodea. Yo me atrevería a decir que el rasgo romántico más acusado en Mesonero es su gusto por lo característico y pintoresco. Lo ha cultivado más como erudito que como artista, y se patentiza ello más en la evocación que en la contemplación de lo actual. Lo característico y pintoresco de España se le ha revelado en la lectura de algunos clásicos y le ha hecho amarlos, no como un "clasicista" que se abismara en la "perfección", sino como un romántico que descubre una palpitación de vida. Hay, es cierto, en los juicios literarios de Mesonero, recaídas lamentables en ese tic avuncular que, si primero fue una afectación, llegó a constituir en

[35] *Panorama*, pág. 35.
[36] *Escenas*, págs. 23-24.
[37] Ibíd., pág. 18 .

él una segunda naturaleza. Cuando en *El romanticismo y los románticos* opone las dos series de libros en pugna: "los Cervantes, los Solís, los Quevedos, los Saavedras, los Moretos, Meléndez y Moratines", que él recomienda, y "Los Hugos y Dumas, los Balzacs, los Sands y Souliés", más "las encantadoras fantasías de Byron y los tétricos cuadros de d'Alincourt" y "los fantásticos sueños de Hoffmann", de que el romántico se rebute la mollera, nuestras simpatías están con éste, que al menos es sincero, y en gracia a su sinceridad le perdonamos hasta que lea "los abortos teatrales de Ducange".[38] Pero cuando no se trata de Solís o de Saavedra, que sólo tangencialmente son literatura —lo que no excluye que sean excelentes en su línea—, cuando un viejo texto ha retenido un tenue aroma de poesía, un reflejo, claro o borroso, de vida pretérita, Mesonero es capaz de "emoción histórica", ingrediente de invención romántica que renovó la crítica. Ha llegado Mesonero a los clásicos por carambola; el alumno estudioso de retórica quizá no hubiera pasado de una admiración bien aprendida del estilo de Solís; en esto Mesonero es enteramente un hombre del siglo XVIII. El interés por el viejo Madrid le ha acercado a los poetas que en él vivieron, y ellos le revelaron, con el secreto de la ciudad que fue, el de su propia poesía. No sin misterio, la mayoría de las citas en que se complace Mesonero están sacadas de antiguas comedias. (Su colaboración a la Biblioteca de Autores Españoles, honrada y concienzuda, es un mérito quizás más duradero que muchos de sus cuadros, y lo que Mesonero trabajó para Rivadeneyra son ediciones de antiguo teatro.) Cuando hablando del Prado escribe, ya en junio de 1832: "Tirso de Molina, Calderón, Moreto y demás poetas de su tiempo se esmeraron en encomiarle a porfía con las descripciones más interesantes y románticas. Así es que el Prado... ha seguido ocupando un lugar privilegiado en las comedias y novelas españolas",[39] el adjetivo, enteramente justo, se emplea, quizá por primera vez, sin ironía. Contra ese romanticismo no podía ir Mesonero. (Pero Moratín, que también fue erudito, y fino erudito, no

---

[38] *Escenas,* pág. 118.
[39] *Panorama,* pág. 191.

llegó a captarlo. El tiempo transcurrido entre las dos generaciones ha obrado el milagro.)

Como esa emoción histórica y ese gusto nuevo por todo lo que "tiene carácter", sean las que sean sus otras cualidades estéticas, es la afición de Mesonero por lo pintoresco, sólo que esta vez las limitaciones del artista, que se cree en terreno más seguro, han de parecer más notables. Un ejemplo: Nuestro "Curioso" va a describir una casa de vecinos de Madrid, una vieja casona de planta y disposición disparatadas: "el color primitivo de la pared, en que la azarosa mano del tiempo ha impreso todos sus rigores; la combinación casual de ventanas y agujeros, el alero prolongado, el estrecho portal, y, más que todo, la extravagante adición de un corredor descubierto y económicamente repartido en sendas (!) habitaciones o celdillas, prestan a todo el edificio un aspecto romántico que revela su fecha y el gusto de la época de la construcción."[40] Nuevamente la ironía viene a romper la ilusión, una ironía de lugareño, que no puede ir a las cosas sin entregarse a "juicios de valor", lamentable cualidad de *todos* los novelistas españoles, que tanto echa a perder, por ejemplo, las mejores descripciones de Galdós, a quien tantas veces hay que citar en conexión con Mesonero, sobre todo cuando de defectos se trata. Anótese, sin embargo, como un mérito sobresaliente de nuestro autor el que éste fuera en su tiempo el más atento inventarista o catalogador de *cosas*; que todo en torno suyo, hasta los objetos más humildes, le merezca atención. Mas para que no ironice es necesario que las cosas tengan una fisonomía noble, que no sean *viejas,* sino *antiguas.* Una de las más bellas páginas de Mesonero es *La casa a la antigua;* en ella hay como una adivinación de lo que podría ser un ambiente novelesco, pero todo aparece estático, pasivo. Aquella enumeración de los enseres que componen un ajuar a la antigua es exacta y de gran valor. Pero "El Curioso" se limita a registrar cosas. Nunca pasó de ser un concienzudo catalogador de posibilidades de novela, tanto por lo que se refiere a los tipos como a los ambientes. El pasaje

---

[40] *El día de toros* (1836), *Escenas*, pág. 26. Mucho mejor es la descripción de un viejo parador madrileño en *La posada* (1839), ibíd., págs. 367 y siguientes.

citado recuerda otros de Azorín, pero sin la poesía que anima los de éste.[41]

(Aunque el recuerdo parezca traído por una simple asociación verbal, hay motivo para rememorar aquí el mérito contraído por nuestro autor con la fundación del *Semanario Pintoresco Español*.[42] En ese título, el primer adjetivo no quería decir sino que la revista llevaba ilustraciones; sin embargo, pocas empresas publicitarias habrán contribuido en tal medida a la revelación de una España pintoresca y romántica —su espíritu, ya lo vimos, fue más bien antirromántico, pero románticos fueron algunos de sus colaboradores—, que, temperamentalmente, el director fue hombre muy liberal. Merecería un estudio más detenido que el que luego le dedicamos esa visión de España, en su totalidad, sin omitir los artículos y notas de Mesonero que allí yacen y que no siempre han sido recogidos en libro. Lo más positivo y fecundo de su reluctante romanticismo sigue enterrado en esa revista.)

* * *

Mesonero era hombre demasiado de su época para que la palabra *cuento* sea frecuente en su vocabulario; no hablemos de *novela corta*, término vergonzante enteramente moderno. De pasada da a entender que el cuento ha sido siempre una sencilla narración en prosa, y que es ridículo que los románticos lo escriban en verso; da a entender que, en estos tiempos, tales cuentos son cosas hechas para llenar las columnas de los periódicos —y aun en ese pasaje se habla de "narraciones, episodios y cuentos", vocablos que supongo da como sinónimos, y que en todo caso sería difícil deslindar y definir—.[43] Si tal vez la palabra va referida al relato que

---

[41] *Panorama*, pág. 324.

[42] V. *Memorias*, II, págs. 183 y sigs., donde honradamente Mesonero no deja de mencionar entre los modelos de su periódico el *Magazin pittoresque* de París.

[43] "...ora se emplea en trazar la historia que puede pasar por novela, ora... en escribir novelas que pican en historia; los unos se encargan del surtido por mayor de narraciones, episodios, cuentos y traducciones para

hace el autor, se inscribe en una frase hecha y es imposible ver en ella el propósito de designar un género determinado.[44] La palabra no estaba de moda; el *cuento*, tan cultivado después, estaba todavía arrinconado en el folklore: cuentos para niños, cuentos de viejas, como los que pronto comenzará a exhumar Fernán Caballero; chascarrillos como los que publican por entonces Clemente Díaz y Vicente de la Fuente, y, lo que es peor, pequeños ejemplitos morales con reglas de buena conducta.

Pero el que Mesonero llame siempre *cuadro*, tal vez *estudio*, frecuentemente *artículo*, los suyos de costumbres —nombre este último por demás vago en nuestros días, pero que no lo era tanto en los del autor—,[45] nada dice de su esencia. ¿Por qué no entrarían en los dominios del cuento esos escritos que su autor ha calificado de "narraciones dramáticas"? ¿Por qué no llamar cuento a *El castellano viejo*, a *El casarse pronto y mal*, con todo y ser Larra el menos "cuentista" de nuestros escritores de costumbres?

En efecto, compuestos en otra época, muchos de estos artículos se hubieran llamado cuentos. ¿Por qué no lo serían *El amante corto de vista* (1832) o *Pretender por alto* (1832), del *Panorama*, y en las *Escenas*, *De tejas arriba* (1838), el más enfocado, el menos flojo y, en fuerza de la clase de costumbres a que se refiere, el menos "costumbrista" por más singular? ¿O *El recién venido* (1838), pequeña novela picaresca —aunque enfocada desde el punto de vista de la víctima—, que es lástima esté tan apegada al patrón clásico de los "escarmientos y avisos", y tan llena como las antiguas de falsos ringorrangos de estilo? *Pretender por alto* tiene una curiosa historia que asimila este escrito a algunas novelitas del siglo XVII: es el

---

los periódicos". (*Contrastes*, en *Los españoles pintados por sí mismo*, II, pág. 503; *Tipos y caracteres*, pág. 106.

[44] "Todo esto lo digo no porque venga a cuento, sino por tener ocasión de introducir el mío." (*La almoneda, Escenas*, pág. 151.)

[45] Algunos textos nos harían pensar que el "artículo de costumbres" tipo es la "escena": "la causa primordial de que tanto te hayan agradado las citadas fisiologías... [es] que *Los españoles pintados por sí mismos* te presentan tipos y no precisamente artículos de costumbres, cosa que no debes confundir..." (Andueza, *La doncella de labor, Semanario Pintoresco*, 1845, X, pág. 44 *b*.) Pero esta terminología fue siempre sobremanera confusa y cada autor tuvo la suya.

argumento de una comedia que escribió Mesonero, en el estilo de Gorostiza sin duda, una de aquellas comedias en que un personaje providencial deshace la trama en que un pobre majadero iba a prenderse, víctima de unos bribones. La comedia, *La señora de protección y escuela de pretendientes,* fue escrita en 1827 y ni se representó ni se publicó nunca; la censura hubo de prohibirla, los altos cielos sabrán por qué.[46] Por entonces, Mesonero debía de pensar, como Lope pensaba, que las novelas tienen las mismas leyes que las comedias. Sea como quiera, ese rasgo es un cuento hecho y derecho. En cierta medida lo sería también *El sombrerito y la mantilla,* 1835, reverso de *El extranjero en su patria,* 1833, ambos en el *Panorama.*

Hay cuadros en este libro y en las *Escenas,* puros esbozos de "costumbres", en que los borrosos personajes aparecen en función de éstas,[47] que pueden servir de contraste a los que acabamos de citar y aun algunos otros que ocupan una posición intermedia. Comparados con aquéllos, *El retrato, Los cómicos en cuaresma, Los aires del lugar, Un viaje al Sitio* (todos de 1832), *La capa vieja y el baile de candil* (1833), *Una noche de vela* (1838), cobran categoría de cuentos. Sin embargo, se notan en ellos defectos casi siempre imputables al costumbrismo: un cierto desenfoque, una flojedad de contornos debida a que el interés de la peripecia se sacrifica a los accesorios, a que el autor se complace más en mostrar el *modo de estar* que el *modo de ser* de sus personajes. Buen ejemplo de ello sería el cuadro *Los cómicos en cuaresma,* que contiene un cuento, sin duda, del que hay personajes no mal pergeñados, pero como de lo que se trata es de ver o de hacer ver "los cómicos en cuaresma", los comparsas son destacados a primer término y lo

---

[46] V. la nota del autor en *Panorama,* pág. 211.

[47] Así *La calle de Toledo, La romería de San Isidro, Las tiendas* (todos de 1832) y *El martes de carnaval* (1839). De notar es *El día de fiesta* (1833), visto en todos sus aspectos, artículo en que el hilo de la narración existe, pero no una unidad de cuento; se diría que lo realizado por el autor responde al mismo propósito que los *Días de fiesta,* de Zabaleta; ni siquiera escasean las moralidades. Añádanse a éstos los cuadros de evocación y comparación de costumbres, *1808 y 1832* (1832), *Las tres tertulias* (1833), *La casa a la antigua* (1833).

invaden todo.[48] En el mismo caso está *Los aires del lugar,* en que
el autor atenúa el cuento posible distrayendo la atención hacia los
incidentes del viaje, las brutalidades de los paletos, etc.;[49] o *Un
viaje al Sitio,* donde las consideraciones sobre cómo y por qué se
viaja distraen de la singularidad de los viajeros, y las diversas aven-
turas desparraman el interés.[50] Cuando no es este desenfoque la
causa de lo incompleto del cuento, es una acentuación exagerada
de lo "ejemplar" del caso lo que le resta "unicidad"; o de otro
modo: que lo "típico" se exagera, como ocurre en *La empleomanía.*[51] A medida que el tiempo avanza, Mesonero parece compla-
cerse más y más en cortar mal los cuentos, emborrizándolos en
ensayos de cuyas tesis pasan a ser mero ejemplo; el relato no queda
suficientemente enmarcado y los términos están invertidos; se diría
que la parte discursiva no es la moraleja del relato, sino éste ilustración de aquélla. Así *La Bolsa* (1837), que contiene una especie
de introducción-ensayo y es como un cuento de moralidad en dos
partes; lo que al final resulta es algo así como un pliego de aleluyas al que se añade un cuadro propiamente dicho, especie de
reportaje de la Bolsa de Madrid.[52] O *La patrona de huéspedes*
(1843), en el que un relato que podría ser interesante, pero que es
terriblemente superficial, aparece envuelto en materia pegadiza y
por ella desvirtuado.

No insistiremos más sobre la superficialidad de Mesonero sin
aclarar antes lo que intentamos decir con ello. Queremos decir que
la realidad que trata de captar el costumbrismo no está sino raramente considerada *en* ella misma, *por* ella misma, sino desde cualquier abstracción moral de la que debe ser un ejemplo; la moral
irrealiza tipos y caracteres, como en las postrimerías de la picaresca
vació la novela de contenido; la peripecia, función de una mora-

---

[48] *Panorama,* págs. 61 y sigs.
[49] Ibíd., págs. 125 y sigs.
[50] Ibíd., págs. 87 y sigs. Este artículo merece ser comparado con *La diligencia* de Larra (16 abril 1835), ejemplos ambos del modo de hacer de los
dos autores.
[51] *Panorama,* págs. 79 y sigs.
[52] *Escenas,* pág. 171. Del mismo tipo, *Antes, ahora y después* (1837),
tres cuentos en uno con largas moralidades; ibíd., pág. 203.

leja banal, no es convincente, ni necesaria, ni interesante. ¿Cómo nos ha de interesar ese Don Modesto Sobrado, de *Tengo lo que me basta* (1842), si desde luego lo reconocemos por un ente de razón, como ilustración de una tesis que podía volverse del revés —y al revés está tratada en *La Bolsa* del mismo autor—?[53] Lejos de mí rechazar los "entes de ficción", por serlo, pero ¡éstos lo son tan pobremente! Sus historias ¡se parecen tanto a *La vida del Hombre Bueno* y a *La vida del Hombre Flaco*! Hacer este costumbrismo moralizante era en realidad trocar los frenos, era olvidarse del primitivo propósito, que no fue predicar la sobriedad, la mesura o la diligencia, sino estudiar el estado moral y los resortes morales de la sociedad presente. Con lo que se comprueba que el costumbrismo *moral* de Mesonero deja de ser costumbrismo, y será lo que se quiera, homilía, disertación ética o espectáculo sociológico. No es costumbrismo a la francesa porque las costumbres de que se trata ya no son tanto las que el autor contempla en torno suyo cuanto las que lleva dentro de su cabeza; no lo es a la española porque estos muñecos acaban por no pertenecer a realidad alguna. Por ejemplo, Mesonero nos refiere cómo el sobredicho Don Modesto Sobrado entra en quintas y cae soldado; buena ocasión de hacer costumbrismo y de mostrarle al lector los *usos y costumbres* militares. Pues no; el autor pasa por ello como sobre ascuas y abandona al lector el cuidado de imaginarlo: "Mirémosle, pues, cambiar repentinamente su vida apacible y tranquila por el bullicioso movimiento del cuartel, mirémosle aprender con rudos trabajos los ejercicios bélicos y trasladarse después a las guarniciones y campos de batalla..."[54] Ya está; Don Modesto ha ascendido a capitán; su creador tiene prisa por que le demuestre que es siempre malo creer que se tiene lo que basta; la moraleja previa al ejemplo ha hecho desaparecer las "costumbres" y Don Modesto Sobrado acaba por no ser más que un nombre.

---

[53] *Los españoles pintados por sí mismos*, I, pág. 9; *Tipos y caracteres* pág. 49.
[54] V. en *Tipos y caracteres,* pág. 109.

Esta tendencia a lo esquemático y a lo abstracto malogra muchas páginas de Mesonero. Uno de sus cuentos mejor pergeñados es *La posada o España en Madrid* (1839). ¡Desafortunado subtítulo! Para urdir una pequeña narración, bastante más ingeniosa que otras muchas suyas, ha sido necesario complicarla inútilmente multiplicando los personajes para que haya uno por región, y así ninguno tiene vida ni fuerza expresiva y todos parecen mascarones alegóricos. Una mayor economía en el plan hubiera obligado a Mesonero a concentrar la atención sobre las realidades que conocía y resistir la tentación provinciana de caricaturizar paletos.[55] Porque hay mucho de provincianismo en Mesonero, y lo más lugareño es su visión de España desde Madrid. El sorites que hizo famoso a Cirano de Bergerac en *Le pédant joué*, traspuesto a tierras de España por Mesonero para demostrar que la Puerta del Sol es "el sitio privilegiado del globo",[56] es menos broma de lo que parece. Hay un "Curioso Parlante" que todo lo observa desde el ombligo del mundo de la Puerta del Sol y que no se entera de nada. Sus caricaturas de lugareños y provincianos suelen ser lamentables.

Todos los cuadros de Mesonero, asimilables a lo que solemos llamar *cuento*, que hemos examinado hasta ahora, son propiamente *escenas*; son más raros los *tipos* que entran en esta categoría. En general, los tipos entran como componentes de las escenas y es raro que el autor los bosqueje sueltos. Hasta ocurre que los mismos caracteres reaparezcan en cuadros diversos, formando así un pequeño mundo de ficción. Estos personajes, que así aparecen de una escena en otra, suelen tener poca vida, si se exceptúa quizá a Don Pascual Bailón Corredera, digno compañero de Don Policarpo de la Transfiguración Omnibus de los Santos. Esos personajes, Don Plácido Cascabelillo (*La comedia casera, 1808 y 1832, Las tres tertulias*), Don Pascual Bailón Corredera (*Los cómicos en cuaresma, La capa vieja*), Don Melquiades Revesino y sus hijos (*Los aires del lugar, El extranjero en su patria*), Don Homobono Quiñones (*El día 30 del mes, El cesante*), Juan Cochura (*El recién venido, La posada*),

---

[55] *Escenas*, págs. 355 y sigs.
[56] *El observatorio de la Puerta del Sol*, ibíd., pág. 19.

escapan en parte a la ley onomástica que pesa sobre los personajes de este autor y aun contribuye a hurtarles realidad. Mesonero abusa de los nombres "significativos": un viejo alegre se llamará Don Plácido Cascabelillo; un chisgarabís, Don Pascual Bailón Corredera; un pícaro, Don Solícito Ganzúa; un hombre que aspira a superar su clase social, Don Teodoro Sobrepuja; otro bien hallado con su condición, Patricio Mirabajo; otro, chapado a la antigua, Don Perpetuo Antañón; un escribano, Gestas de Uñate; un honrado comerciante, Don Honorato Buenafé...[57] Ni que decir tiene que si el *tipo* nos hace alguna impresión no es por su nombre, sino a pesar de su nombre. Excepcionalmente, un *tipo* ha podido dar algo parecido a un cuento (*El barbero de Madrid*, 1832; *La politicomanía*, 1832), pero para Mesonero, destacar así un carácter es hacerlo caricaturesco y desarraigarlo de toda realidad a fuerza de exageración. Una vez más el "Curioso" ha *visto* que un gran retrato puede ser un gran cuadro, pero no lo ha *hecho*.

Extraño destino el de este escritor, siempre en el lindero de la tierra prometida, siempre en un tris de descubrir el secreto, sin encontrarlo nunca. En *El día de toros* (1836), ha estado a punto de pasar a la novela todo un mundo de realidad y se ha quedado en una imitación de don Ramón de la Cruz. En ese mismo cuadro, en *Mi calle*, en *La posada*, ha entrevisto los recursos descriptivos de la novela del siglo XIX, pero nunca ha sabido emplearlos franca y valientemente. Nada más curioso que la lectura de *Los paletos en Madrid* y su comparación con *Suum cuique* de Pereda. Las semejanzas de algunos pasajes de uno y otro cuadro son tales, que es imposible atribuirlas al azar de una coincidencia.[58] Ellas esclarecen lo que Mesonero tuvo de precursor. Adivinó muchas cosas, pero los días de cumplirse los presagios no eran llegados aún.

---

[57] Algo de esto hay en Larra (Andrés Niporesas, Don Cándido Buenafé), pero los artículos en que su autor los hace aparecer son de muy otra intención. Nada de este procedimiento —que recuerda la comedia inglesa del siglo XVIII y viene quizá de Addison remotamente— deja huellas en *El castellano viejo*, por ejemplo.

[58] *Panorama*, pág. 285; Pereda, *Obras*, V, Madrid, Tello, 1885; v., sobre todo, pág. 205, los episodios del café, la manera cómo en las calles Don Silvestre y su acompañante llaman la atención de todo el mundo, etc.

A las dificultades que esta manera de concebir el costumbrismo oponía a una novela moderna hay que agregar las que Mesonero mismo se echaba encima por dar demasiado pábulo a sus gustos clásicos. Está demasiado cerca del neoclasicismo, tiene demasiado frescas sus lecciones para no creer que una admiración literaria debe suscitar una imitación. Lo peor es que, en su vuelta a los clásicos, Mesonero no les arrebata la antorcha de la inspiración; se limita a arrancarles detalles de técnica y menudencias de estilo, en los tiempos que corrían, lo menos imitable. Es cierto que esta tendencia a volver a la "tradición" se acentúa en las *Escenas;* el *Panorama* es de andadura más ágil y suelta, y si algo hay en él que recuerde la antigua literatura española es el corte y el enfoque de ciertos artículos y no el tono; así *El barbero de Madrid,* relato en forma autobiográfica con residuos de picaresca tardía... pasados por el laboratorio de Beaumarchais.[59] En las *Escenas,* "El Curioso Parlante" ha acumulado muchas falsas riquezas allegadas en lecturas clásicas más frecuentes y atentas. Larra, que tenía el *Quijote* en la uña, supo siempre disimular sus hurtos, y la impresión que deja la rica prosa de sus artículos no es ciertamente la de un pastiche cervantesco. Mesonero, no diré menos hábil, pero más candorosamente *castizo,* no disimula su imitación. Se diría que tiene a gala que todos la noten, y aun allí donde la reciente data del asunto escogido hacía más fácil el disimulo, nuestro autor resuelve no disimular nada. En el artículo, bastante mediocre, por cierto, *Las sillas del Prado* (1838),[60] es comprobable la imitación de *La derrota de los pedantes,* en aquellas cóleras de Apolo y en los acompasados discursos que las sillas le dirigen. Esto es una humorada sin consecuencias; desgraciadamente, los dos mejores relatos que hizo nunca Mesonero, los mejor cortados y mejor planeados, aparecen furiosamente patinados a la antigua, en forma tal que su realidad desaparece y el lector, en vez de penetrar en el ambiente en que viven los personajes que crea el autor y sentir la ficción como cosa viva, no sabe donde se halla, distraído por estas lentas y graves frases

[59] *Panorama,* pág. 169.
[60] *Escenas,* pág. 245. Alarcón imitará todavía trozos de este artículo; v. mi libro *Pedro Antonio de Alarcón,* Zaragoza, 1955, pág. 137.

que todavía llevan la marca de Rojas o de Cervantes. Fijémonos en el mejor de esos cuadros, *De tejas arriba* (1838). El autor de *La Celestina,* para pintar cuanto pertenece a una fina alcahueta, que decía Juan de Valdés, ha fijado ciertos rasgos esenciales ya idelebles. Celestina es gárrula, redicha y de su boca brotan inagotables los refranes. Convengamos en que ese rasgo haya de mantenerse cuando en vez de Celestina tratemos de retratar una celestina cualquiera; es rasgo característico de un *tipo;* pero en todo caso habrá que atemperarlo a las circunstancias siempre nuevas en que el tipo reaparece; no se oye a una celestina madrileña, contemporánea de Mesonero, hablar en este compás: "Doña Claudia me llamaron en el siglo (?)[61] y esa misma soy, en buena hora lo cuente, pero tal vez me verás que no me conocerás, y yo misma me tiento y no me encuentro... y como dijo el otro,[62] abájanse los adarves y álzanse los muladares, que hoy día nadie puede decir 'de esta agua no beberé', y mientras la viuda llora bailan otros en la boda... No digo esto por maldecir, que de menos nos hizo Dios, y viva la gallina, aunque sea con su pepita; sino explícolo para dar a conocer a vuesa merced, señor vecino, que aquí donde me ve con estos trapos yo también fui persona, y no como quiera, sino como suele decirse, empingorotada y de capuz..., pero vive cien años y verás desengaños, y tras el día viene la noche..." etc.[63] La "persuasiva", como diría Mesonero, de esta madre Claudia no es más original, tanto que el mismo autor llega a advertirlo: "¿Es posible, hija mía, que tan joven y hermosa como plugo hacerte al Señor, gustes [de] enterrarte viva en ese zaquizamí?... Mira que la hermosura es flor delicada que todos codician y no puede permanecer oculta y entregada a sí misma... Mal estás así, hija mía, tierna y hermosa, sin olmo

---

[61] Esta Claudia no es ciertamente una monja, ni siquiera pasa por beata; no comprendo lo que ha querido decir Mesonero con esta frase. Tal vez, imitando *de oído* el lenguaje castizo, incurre en confusiones y errores de que aún veremos ejemplos.

[62] De seguro no en la calle del Olivo y en tiempos del autor.

[63] Ya vimos que Estébanez pudo tener presente este escrito al componer el suyo de *La Celestina,* destinado a *Los españoles pintados por sí mismos,* más libresco aún si cabe. *De tejas arriba,* en *Escenas,* y, para lo citado, v. págs. 263-264.

que te defienda, sin mano que cuide de tu sostén. Yo seré, si gustas, ese arrimo protector, ese escudo de tu niñez, y así como la barquilla sabe burlar las furiosas tormentas confiando su timón a un hábil marinero, así tú en mis manos experimentadas podrás atravesar sin pena este piélago del mundo..." Mesonero se da cuenta de que exagera, y añade: "Yo no sé si fue precisamente en estos términos u otros semejantes como habló la vieja."[64] No, la vieja no habló seguramente de olmo, de barquilla ni de piélago; quien hablaba de un modo parecido, sólo que mucho mejor, era la verdadera Celestina, la de Rojas, cuando era un ser humano y no un *tipo*.

El recién venido (1838) es una pequeña novela picaresca. Remozar el género y referirlo a circunstancias contemporáneas era una experiencia que valía la pena, pero con la condición expresa de no imitar, y lo menos imitable era esta vez el estilo, el de los diálogos siempre, y casi siempre el de las descripciones. No tenía sentido introducir el robo de que es víctima Juancho con estas palabras: "Esta en que ahora entramos..., sepa vuesa merced que se llama la cuesta de los ciegos, aunque más de cuatro han visto en ella lo que no querían, y supuesto que a ella hemos llegado, y supuesto que a la ocasión la pintan calva, vuesa merced, señor castellano, se servirá darme todo aquello que en su cinto le huela a moneda."[65] Peligrosa era sobre todo la antigua técnica del retrato, cuando cada rasgo físico era ocasión de conceptos, y era necesario todo el genio de Quevedo para hacerlos expresivos —a veces sólo tolerables—, y Quevedo mismo no lo consiguió siempre. Mesonero, que no hubiera sido mal retratista si con mejor escuela se hubiera puesto a ello, carecía evidentemente de las altas dotes verbales de don Francisco y hubiera debido evitar esta resbaladiza senda. Véanse los resultados, el retrato, por ejemplo, del golilla en *De tejas arriba*: "Hombre de rostro enjuto y sospechoso, cuerpo sutil y mal configurado, manos negras como su ropilla, nariz torcida como la intención, antípoda del agua como un hidrófobo, amante del vino como un mosquito; vara enroscada como sus palabras, oído listo

[64] *Escenas*, págs. 270-271.
[65] *Ibíd.*, pág. 305.

a las promesas y cerrado a las plegarias, multiplicado a veces como edición estereotípica y tan invisible e impalpable otras, que no pocas llegaron a dudar los vecinos si subía por la escalera o por el cañón de la chimenea."[66] No sólo marean los continuos saltos de lo físico a lo moral; hay frases inertes ("vara enroscada como sus palabras"), que parecen atraídas meramente por el compás y porque el período parece mejor bien rebutido de oraciones; algo así como los ripios en el verso.

Aun en el estudio moral se le imponen a Mesonero indebidamente añejas reminiscencias. Creo que de la literatura más que de la observación han salido esas viudas que reverdecen terminado el duelo *(El retrato, El duelo se despide en la iglesia).*[67] En general, "El Curioso" no brilla como gran conocedor del alma femenina; las mujeres son lo menos nuevo y lo menos vivo de sus cuadros.

Yo diría que, en ocasiones, en esos largos catálogos de tipos apenas indicados hay como un recuerdo de ciertas letrillas clásicas más mordaces que verdaderas. Recuérdese el comienzo de *El espíritu de asociación,* en que cada párrafo menciona una ridiculez propia de una clase o profesión ("Llega en estos afortunados tiempos a cumplir catorce años un mancebo..."; "Sueña un pobre tendero..."; "Pobre viuda, tú contabas"), como las estrofas de ciertas letrillas gongorinas o quevedescas, y, como en ellas, Mesonero termina con una repetición del tema del artículo, que viene a ser como un estribo.[68]

Cuando en época más avanzada "El Curioso", cada vez más alejado de cuentos y novelas, intenta estudios de carácter, lo que hace son "caracteres", en el sentido del siglo XVII, más del francés que del español. Estos caracteres *(El fastidioso, Una mujer risueña),*[69] de poco interés como estudio y poco ingeniosos en la factura,

---

[66] *Escenas,* pág. 270.
[67] Lo que origina un nuevo lugar común costumbrista. Un ejemplo entre mil que puede deberse al que había dado Mesonero es el artículo de "El Estudiante" *Un día perdido o las visitas de cumplimiento, Semanario Pintoresco,* 1839, V, pág. 78.
[68] *Escenas,* págs. 126 y sigs.
[69] *Tipos y caracteres,* pág. 133, 137. No llevan fecha, pero de su colocación en el libro deduzco que no serán anteriores a 1840.

contrastan fuertemente con el nuevo costumbrismo, una de cuyas tendencias lógicas era llegar a ser reportaje. El último artículo de *La Bolsa,* para no poner sino un ejemplo,[70] está haciendo ver que el periodismo no tardará en despojarse de los adornos pegadizos heredados de otra edad y, atento a los modos de vivir de las gentes, que no a los modos de ser, atento a lo pasajero y fugitivo, se reducirá a fijar apenas por unas horas la impresión volandera. Este espíritu reporteril que va penetrando el periodismo se manifiesta a veces en lo accesorio tan tenuemente que es necesario que otro artículo de tema afín nos lo revele. Compárese *Un viaje al Sitio* con *La diligencia,* de Larra, y aun *La cour des messageries royales* (febrero 1831), publicado por Balzac en *La caricature.*[71] Los tres son, a lo que creo, independientes unos de otros —aunque el de Mesonero se asemeja más al de Balzac—, pero los tres son productos bien definidos de un cierto periodismo, y, aun cuando el de Larra es sin duda el mejor, el de Balzac, que emana de un espíritu periodístico más maduro, es el que más se acerca al reportaje.

No tenía razón Mesonero al decir que la novela contemporánea tenía que refugiarse en el periódico —aunque el folletín, que era otra cosa, así lo hiciese—, y los hechos lo demostraron más tarde; pero el espíritu periodístico sí influía en esta literatura de costumbres que hubo de darle sus primeros reportajes. Contribuyen éstos poderosamente al nuevo descubrimiento de la realidad circunstante, y para captarla practican ese ilusionismo que es propio de todas las artes primitivas. El empleo de dialectos provinciales, que tan raro es en la antigua literatura española —o mejor, en el período clásico de la literatura española—, impulsado por Isla, que le debe algunos pasajes aún torpes, pero sabrosos, de *Fray Gerundio,* va a encontrar propugnadores en estos costumbristas atentos al detalle, que aún se limitan, naturalmente, a remedos groseros y a la simple transcripción de las formas fonéticas más aparentes;[72] otros vendrán después que aquilaten el valor de la lengua hablada, bien o mal, en diversas regiones españolas y le den un papel en la obra

---

[70] *Escenas,* págs. 179 y sigs.

[71] *Oeuvres diverses,* II, París, Conard, 1938, pág. 300 .

[72] Aparte algunas palabras o frases deformadas ocasionalmente en boca de gallegos de caricatura (*El romanticismo...,* *Escenas,* pág. 126), hay un

de arte. Mesonero, una vez más, se ha contentado con señalar una pista. Curioso es, de todos modos, que los leves dejos de lenguaje hablado de que para sus caracterizaciones se vale procedan de hablas regionales y que no haya parado mientes en la popular de Madrid. Aún está lejos el día en que los nuevos saineteros inventen —en los dos sentidos de la palabra— el madrileñismo.

Poco debe Mesonero a la lengua hablada en las *Escenas*, más en el *Panorama*, que yo prefiero hasta en la escritura, por más suelto y desembarazado. Mesonero, más culto que la mayoría de sus contemporáneos, a quien su buen sentido natural hubiera apartado del énfasis y la hinchazón si no hubiera sido "castizo" dar en ellos, tenía, cuando era él mismo y no un arrendajo de los antiguos españoles, bastante ligereza de pluma y un desenfado amable que contrasta con cierta prosa romántica, quier heroica, quier lúgubre —"de ataúd", hubiera dicho nuestro autor—. Su diálogo es bastante más ágil que el de los más de los novelistas de su edad, y aun muchos posteriores. Su corrección no es tanta que pueda pasar por un gramático; a veces encontramos impropiedades curiosas en su lenguaje, sobre todo allí donde quiere ser castizo y emplear términos desusados en el habla corriente, de cuya significación no está muy seguro y que recogió de oído; y... a él también se le atraganta el adjetivo *sendos, sendas,* que rara vez usa a derechas —y cuando la frase resulta correcta, no sabemos si lo era en la intención del autor—. [73] Lo que no consigue nunca Mesonero es el nervio y la gracia de la prosa de "Fígaro"; ello es sobremanera sensible en los artículos

diálogo dialectal curioso (villanos de Alcorcón) en *La exposición,* ibíd., 319. En *La posada,* los diversos tipos dan motivo a un despliegue de variedades regionales (gallego, catalán, valenciano, andaluz; ibíd., págs. 373 y sigs.). Ya en *La calle de Toledo* (1832), Mesonero imita con bastante torpeza el habla andaluza. (*Panorama,* pág. 38 y sigs.)

[73] Recuérdese lo dicho sobre Estébanez. Ya en una cita de la pág. 58 hemos visto la frase "un corredor repartido en sendas habitaciones" (*El día de toros. Escenas,* pág. 26). Cfr. "el vestuario, que pendía colgado de sendos clavos alrededor de la paredes" (*Los cómicos en cuaresma, Panorama,* pág 65); "una partidilla honrada de truquiflor... interpolada de sendos tragos de lo tinto" (*El recién venido, Escenas,* pág. 298); "la habitación está dividida en sendos compartimentos" *La posada,* ibíd., pág. 369); "una tortilla con sendos golpes de patatas y jamón" (*La patrona de huéspedes, Tipos y caracteres,* pág. 52), y otros infinitos ejemplos que podrían citarse.

en que uno y otro trataron el mismo tema. (Comp. *Un viaje al Sitio* con *La diligencia* de Larra, 1835; *Las casas nuevas,* de éste, 1833, con *El alquiler de un cuarto,* 1837.) Yo no sé si en algunos de estos casos ha habido propósito deliberado de imitación; los puntos de contacto entre *Un viaje al Sitio* y *La diligencia* son escasos y parecen accidentales; las semejanzas de los otros dos artículos son quizá mayores, pero nunca concluyentes. Mas el Larra escritor descuella siempre. Y es curioso: cuando puede comprobarse una reminiscencia de "Fígaro" en "El Curioso", se trata de algo accidental, inesencial... y que no es de "Fígaro". Por ejemplo: éste ha tomado de Cervantes la disparatada y graciosa frase "una gran mano pegada a un grandísimo brazo" (*Quijote,* I, xvii), que parodia en *El castellano viejo* (1832): "qué sensación no debería producirme una horrible palmada que una gran mano, pegada (a lo que por entonces entendí) a un grandísimo brazo, vino a descargar sobre uno de mis hombros."[74] Mesonero ha recogido la frase, pero, a juzgar por la situación, no de Cervantes, sino de Larra: "Muy ocupado estaba yo en estas consideraciones mientras me figuraba leer la *Gaceta...* cuando un fuerte bastonazo sobre el papel vino a llamarme la atención. Siguiendo rápidamente con la vista la dirección del bastón, encontré que pendía de una mano pegada a un brazo de cierto amigo mío, de esos amigos que uno tiene que no sabe cómo se llaman..."[75] Cosas así eran las que Mesonero era capaz de sacar de la lectura de Larra; y nótese la torpeza de sus palabras, comparadas con las otras.

Pero Larra había forjado las suyas en la sátira, en la polémica. Aunque con cierta pereza, lentitud y pesadez, la prosa de Mesonero se destaca de la de los novelistas de su tiempo con ventaja indudable, y está más cerca de la de otros más tardíos —que no siempre supieron librarse, por desgracia, de ese falso "humor" que se va todo en comparanzas, digresiones, asociaciones inoportunas y otras mil impertinencias—.

Con todos sus defectos, que son muchos, con cualidades que podemos suponer superiores en número y medida —sobre todo si

────────

[74] *Obras,* I, pág. 101.
[75] *Las casas de baños* (1835), *Panorama,* pág. 394.

se tiene en cuenta la prioridad en el descubrimiento de muchos tipos, temas y motivos—, la importancia histórica de Mesonero es considerable, y su influencia, aunque difusa, profunda y duradera. A Mesonero se debe, más que a ningún otro, que tantos asuntos quedaran "en el aire", saturando aquella atmósfera literaria, de modo que, cuando encontramos ciertos temas costumbristas convertidos en lugar común, pensamos en él en primer lugar, como iniciador.[76] Leyendo aquel evocador paseo por el Prado que se encuentra en *La protección de un sastre,* de Álvarez, artículos de Alarcón, escritos de Pereda, sobre todo, de Fernán Caballero misma, hallamos constantemente huellas de su paso. Lo recordamos incluso al leer autores que de seguro nada le deben directamente, pues ciertos tipos de artículo de costumbres que él cultiva y a que da forma en cierto modo definitiva perduran entre nosotros más de lo debido. Así, en libros tan recientes como *Aguas fuertes,* de Palacio Valdés (1884), en aquellos trozos sobre el Retiro, Recoletos, etc., se diría escuchar un eco lejano de "El Curioso Parlante". Galdós le debió mucho, y las sabrosas charlas de viejo memorioso de Mesonero —con anterioridad a la publicación de las *Memorias*— dieron abundante materia a algunos de los mejores *Episodios nacionales.* El citar a Galdós nos da nueva ocasión para insistir en lo ya dicho arriba: todas las iniciativas de Mesonero fecundaron la obra ajena, dando ocasión a intervenciones propiamente novelescas.[77] En Mesonero raramente

---

[76] Aunque, al evolucionar el género, el cuadro de costumbres cultivado por Mesonero quedó un poco fuera de moda. Así lo indica Alarcón (que se consideraba renovador de la literatura de costumbres), no sin un elogio a "los discretísimos y famosos de nuestro Curioso Parlante", en su artículo *Las ferias de Madrid* (1858), tema, en efecto, muy de Mesonero. V. *Cosas que fueron,* pág. 55. Aunque los gustos cambien, el magisterio sigue indiscutible, y en *Los españoles pintados por sí mismos* tendremos más de un testimonio de esa especie de dirección espiritual que ejerció Mesonero sobre los otros costumbristas.

[77] Don Ramón se hizo muy bien cargo de lo que significaba la obra del joven Galdós respecto de aquel plan que en las *Memorias* llamaría más tarde "propósito infantil". V. la importante carta de 23 mayo 1875 en que dice al novelista que "había realizado un pensamiento que yo por mi edad no puedo convertir en hecho" (pág. 14). Toda esta correspondencia no tiene desperdicio y permite ver que, a partir de *Memorias de un cortesano...* (1875), todo se hizo siguiendo sugestiones de Mesonero. Las cartas fueron ya publicadas por "El Bachiller Corchuelo", *Por esos mundos,* julio 1910,

lo eran. Esta limitación suya fue en cierto modo la de su generación, tan novelesca y tan poco noveladora, sin embargo.

A instruir a los extranjeros sobre las cosas de España dedicó "El Curioso Parlante" muchos de sus desvelos; la acogida que ellos le dispensaron fue generosa. Él mismo, en la nota final de las *Escenas,* agradece elogios de Balzac, de Fauriel, de Dickens, de Washington Irving.[78] No he podido recoger aún estos testimonios, y me propongo hacerlo algún día. Es verosímil que algunos fueran dirigidos al erudito, otros homenaje rendido al indudable encanto del hombre. Esta pequeña celebridad europea de Mesonero no es desdeñable y era justa: premiaba un largo y abnegado esfuerzo y una noble conducta, ya que no un logro artístico brillante.

págs. 30-31; v. ahora en la edición de E. Varela Hervías, *Cartas de Pérez Galdós a Mesonero Romanos,* Madrid, 1943, y cfr. *Cartas a Galdós,* ed. S. Ortega, Madrid. Revista de Occidente, 1965. De la devoción del novelista a "El Curioso" da testimonio un artículo de febrero 1866 en *Crónica de Madrid,* Madrid, 1933, págs. 172-175 (*Obras inéditas*).

[78] Merecen copiarse estas palabras de Mesonero en que da las gracias "a los ilustres literatos y críticos franceses, los señores Jouy, de Balzac, Th. Gautier, G. Deville, Xavier Durieu, Ch. de Mazade, Philarète Chasles, Fauriel, Challamel y G. d'Alaux, que en diferentes artículos insertos en las revistas francesas han traducido, comentado y elogiado diversos artículos de las *Escenas matritenses;* a los señores Dickens y Ford, ingleses, Wolf y Schack, alemanes, Washington Irving y Prescott, anglo-americanos, que por escrito o de palabra le han manifestado su aprecio..." Pocas de estas cosas debieron de pasar a libros hoy accesibles: Auguste Challamel, *Un été en Espagne,* 1843; Philarète Chasles, *Etudes sur l'Espagne et sur l'influence de la littérature espagnole en France et en Italie,* París, 1847; Charles de Mazade, *L'Espagne moderne,* París, Michel Lévy, 1856 (artículos publicados originalmente en la *Revue des deux mondes;* el capítulo IX, *La politique et les moeurs,* está dedicado todo al estudio de Mesonero y Estébanez). Ninguna mención de Mesonero encuentro en la obra de Balzac; tal vez todo se redujo a alguna muestra privada de cortesía. Lástima que no se haya publicado nada de esas cartas, si aún existen, en una edición como la de Renacimiento, en la que tanta inepcia y papel inútil se ha incluido en cambio a título de "documento" (tomo II de las *Memorias*). Sería útil también reunir la crítica contemporánea sobre el autor, aunque, por lo que he visto, no creo que esté a la altura de los artículos de Larra. Así el *Juicio crítico del "Panorama matritense",* aparecido en la *Revista de España y del Extranjero,* II, 1842; otro de Segovia publicado en *Nosotros,* 16 mayo 1838. Pocas críticas de aquel tiempo son notables por su profundidad, y nada de esto es excepción, pero no carece de curiosidad y todo testimonia el mayor respeto.

IV

Casi todos los escritores españoles cultivan por entonces el artículo de costumbres; algunos, con poca posterioridad respecto del grupo de las *Cartas Españolas,* como Bretón de los Herreros,[1] como Gil y Zárate. No es posible establecer aquí un catálogo exhaustivo de cuanto costumbrismo se hizo en aquella época, ni todo nos interesa al hacer historia de esos tanteos hacia una nueva fórmula de cuento. El renombre que algunos ingenios alcanzaron en el cultivo de otros géneros, no justificaría el análisis minucioso de breves escritos que nunca tendrán, en el conjunto de su obra, un interés sustantivo; habremos de excluir aun la de "especialistas" que nada nuevo añaden a los logros de Mesonero, como Antonio María Segovia, "El Estudiante" (1808-1874), como la de Santos López Pelegrín, "Abenámar" (1801-1846),[2] como Modesto Lafuente, "Fray Gerundio" (1806-1866).[3] Para seguir el hilo de nuestro discurso, hay

---

[1] Su artículo *Pelar la pava* aparece en el *Boletín del Comercio* en 4 de marzo de 1834. Sobre Bretón como escritor de costumbres, v. Le Gentil, *Bretón de los Herreros,* págs. 235 y sigs.

[2] Además de lo publicado en la revista *Nosotros,* que "Abenámar" y "El Estudiante" sacaban a luz, salieron en volumen *Artículos satíricos y festivos publicados en diversos periódicos* por "Abenámar" y "El Estudiante", Palma, 1840; ignoro si los *Artículos satíricos* publicados en Palma, Trías, 1841, con una crítica de Lista, que veo citados por Hidalgo, son una reimpresión o una colección diferente... o una errata. Segovia había publicado con anterioridad una *Colección de composiciones serias y festivas en prosa y verso, escogidas entre las publicadas e inéditas...,* Madrid, Repullés, 1839 (sólo salió a luz el tomo I).

[3] De lo que era capaz de hacer Lafuente como cuentista puede juzgarse por *Mis botas,* artículo inédito publicado en el *Álbum literario español,* Madrid, Mellado, 1846, págs. 290 y sigs. Sobre todos estos costumbristas,

que arrojarse en el maremágnum de la prensa periódica de aquel tiempo, tratando de buscar, en una masa informe de artículos olvidados, indicios de alguna nueva tendencia. Nos limitaremos a examinar algunos tomos de la revista que sin disputa contribuyó más poderosamente a revelar España a los españoles: el *Semanario Pintoresco Español*.

La fundación y redacción del *Semanario*, que comenzó a publicarse en 1836, es quizá el mayor título que presenta Mesonero a la admiración y al respeto de sus compatriotas. Nada diremos aquí de todas las luchas que le costó la empresa, de aquella tenaz labor que le permitió mejorar en pocos años, gracias a su ejemplo, la prensa española. Nos limitaremos a remitir a otros escritos donde podrán verse las varias vicisitudes por que pasó la revista.[4] Sólo diremos algunas palabras sobre la manera cómo las series del *Semanario* interesan directa o indirectamente a una historia de la novela española.[5]

Los estudios de costumbres publicados en el periódico con plena intención, bajo una rúbrica así concebida, son de muy vario carácter. Entre ellos hay muchos que se atienen a la fórmula ya consagrada por los que iniciaron el género en las *Cartas Españolas*, con predominio, como es natural, del estilo de Mesonero. Algo anónimo podría ser suyo, y no desentonaría del conjunto de su obra, como *La compra del pavo* (1839, IV, pág. 394), y del mismo carácter es tal o cual contribución de Segovia,[6] mientras que un solo artículo de Gil y Zárate, que es más sátira literaria que costumbrismo, se

---

sus contemporáneos, que le siguen con pocos años de diferencia, v. lo que dice Mesonero, *Memorias*, II, págs. 92 y sigs.

[4] V. el mismo Mesonero en *Memorias*, II, págs. 183 y sigs.; Le Gentil, *Les revues*, págs. 49 y sigs.

[5] No vamos en este estudio mucho más allá de los años 1845-1846, en que se escribía *La Gaviota*. Y lo más tardío baja mucho de tono.

[6] *Los aficionados*, boceto de cuadro de costumbres (1838, III, pág. 683), con referencia directa a Mesonero: "Todo el día de hoy ando en busca de El Curioso Parlante y no he podido dar con él"; en el estilo, el artículo recuerda más bien los de Larra. *Un día perdido, o las visitas de cumplimiento* (1839, IV, pág. 77). No creo que sea suyo el titulado *Costumbres estudiantinas. El día de San Lucas o la matrícula,* firmado por "Un estudiante" (1842, VII, pág. 348); más me parece de Vicente de la Fuente, inagotable en estos asuntos, como veremos.

aproxima visiblemente a los de Larra.[7] Los temas han llegado a ser comunes a todos los costumbristas y se repiten sin empacho, y encontramos artículos sobre teatro de aficionados o sobre cómicos de la legua (L., *Comedias caseras*, 1845, X, pág. 170; "Un Aficionado Lugareño", *El teatro lugareño*, 1842, VII, pág. 218); sobre forasteros en la corte ("El Bachiller Cuasiermas", *Mi noviciado en la corte*, 1843, VIII, pág. 37); sobre días de días (José de Cominges, *El día de mi santo*, 1845, X, pág. 163); sobre almonedas (N. R. de Losada, *Dos almonedas en una*, 1846, XI, págs. 248, 254, 260; sobre el endiosamiento de los escritores noveles ("El Bachiller Cuasiermas", *La nueva carrera*, 1844, IX, pág. 195). Hay también tipos, mucho más frecuentes en la época en que Mesonero no dirigía ya el *Semanario*, es decir, desde 1842, cuando por todas partes comienzan a pulular *fisiologías*; algunos de esos artículos coinciden en intención, tono y factura con otros de *Los españoles pintados por sí mismos*, en ocasiones tienen el mismo asunto, y en un caso, por lo menos, puede asegurarse que el artículo fue destinado a aquella publicación, sin que sepamos —ni nos importe gran cosa— por qué fue luego sustituido en ella por otro.[8] Así encontramos en el *Semanario* un *Memorialista*, de Giménez Serrano (1843, VIII, pág. 185), un *Ciego*, de R. M. Boulet (ibíd., pág. 217); un *Zapatero de viejo*, firmado por "El Incógnito", que recuerda más bien aquellos esbozos de Larra sobre *Modos de vivir que no dan de vivir* (1844, IX, pág. 175); por último, otro *Zapatero de portal*, malísimo, de Valladares (1845, X, pág 357), y un *Escribano*, de R. López Barroso, en el que alienta algo del espíritu del Pereda de *El tirano de la aldea*, aunque los talentos del tal Barroso fuesen

---

[7] *Desventuras de un pobrecito autor de comedias* (1838, III, pág. 793, publicado con anterioridad en el *Boletín del Comercio*, 1833). Es curioso *Un mayorazgo*, firmado L., que podría referirse a la tradición costumbrista de Cadalso, interesante documento para la historia del anti-señoritismo español. Por su forma algo afectada y campanuda, más bien indica la influencia de Estébanez.

[8] En el tomo X, 1845, pág. 74, hay un artículo de J. M. de Andueza, *La doncella de labor*, que fue evidentemente escrito para *Los españoles*, publicación a la que se alude directamente, pág. 74 *b*, pero en ella el tipo fue presentado por M. M. de Santa Ana en un artículo que en nada mejora al otro.

de los más modestos (1844, IX, págs. 326, 330, 358, 402). Neira de Mosquera, costumbrista de los más fecundos y de los que peor escribieron de la generación joven entonces, ofrece la silueta de *El aficionado* (1846, XI, pág. 402), de quien, como vimos, ya había tratado Segovia años antes. Toda esta literatura de epígonos e imitadores es sumamente pobre, y en aquellos casos en que aparece en ella algún ligerísimo intento de renovar el género, el resultado no corresponde al propósito, si tal propósito hubo y creer discernirlo no es ilusión nuestra. Pero no es inútil leer la dispersa obra de esos pobres diablos. Aquellas reiteraciones manifiestan una continua acción sobre un público que se va familiarizando con tales temas y figuras. Por desgracia, estos superficialísimos rasguños apenas son trozos de prosa, y no muy limpia. Poquísimo es lo que nos enseñan de esos hombres de que tratan, del medio en que viven, de la naturaleza que los rodea; otros cualesquiera podrían dar motivo a las mismas consideraciones ramplonas y sin gracia. Nada de ellos nos aproxima a los dominios de la novela. Tal vez aquí, como en *Los españoles pintados por sí mismos,* encontramos, empero, atisbos de temas que han de ser recogidos por hombres de otro temple literario. Ya hemos hablado de *El escribano,* de López Barroso; podríamos añadir que en cierto artículo firmado por "El Fisgón invisible", *Las cartas de recomendación,* se trata, por primera vez, según creo, de las penalidades de uno de esos mozalbetes que llegaban a La Habana sin más bagaje que sus esperanzas y unas cuantas cartas (1839, IV, pág. 158). En estos costumbristas las tendencias son muy varias; los hay que recuerdan cosas añejas al presentarnos caracteres cómicos enteramente de invención, absurdos y grotescos, que dan pretexto a enhebrar unas cuantas anécdotas disparatadas, como el *Don Indeciso,* firmado D. R. de A.,[9] artículo que no nos sorprendería si lo leyéramos en el cartapacio de algún raro imitador de Addison que hubiera vivido en el siglo XVIII, y que hubiera entendido muy mal a su modelo. Estos artículos no

---

[9] J. S. Díaz, en su índice del *Semanario Pintoresco,* Madrid, 1946, pág. 75, sugiere que el apellido que se oculta bajo la sigla es el de Arana; un D. R. de Arana publicó, en efecto, una poesía en el tomo correspondiente a 1843. Ignoro en absoluto quién pueda ser este personaje.

se aproximan siquiera al cuento porque los caracteres están vistos estáticamente, porque están explicados por el autor, comentados y no puestos a la vista de los lectores en una acción cualquiera; puede haber muchos incidentes en esas escenas, pueden ocurrir mil cosas a esos tipos; el autor no sabe colocarse en el punto desde donde *se ve* el cuento. De cuento deslavazado y mal compuesto puede calificarse el anónimo *¡Ha sido una chanza!* (1837, II, pág. 35), que da la medida del "savoir faire" de los ingenios de esta generación. Se trata en él de un mentecato que tiene la manía de molestar a todo el mundo con las bromas más pesadas. Un día, por diversión, trueca unas cartas, con lo que descubre, donde no debiera, un adulterio doblado de incesto y causa la muerte de tres personas. No se sabe qué admirar más en el autor de este cuento o lo que sea, su ingenuidad o su torpeza en componer.

Pasemos a cosas mejores. Desde los primeros tomos del *Semanario Pintoresco* encontramos con frecuencia algunos nombres, hoy oscuros o poco recordados y nunca muy conspicuos, aunque no siempre merezcan tanto olvido, que descuellan notablemente sobre todo lo citado hasta ahora. Sea el primero de que nos ocupemos un tal don Clemente Díaz, que tuvo la desgracia de sufrir las ironías y los sarcasmos más amargos de "Fígaro" a propósito de cierta sátira que compuso,[10] única circunstancia que podemos recordar de su vida. Sin ser un gran ingenio ni un "clásico olvidado", merece Díaz alguna atención. No es un torpe imitador de Mesonero, servil repetidor de lugares comunes costumbristas; trata de describir ambientes que conoce bien — sus artículos son, por lo general, de costumbres de la Mancha—, y lo que escribe revela observación o infor-

---

[10] Suponemos que se trata del mismo, pues un caso de simple homonimia sería demasiado inverosímil. Dio pretexto a la arremetida de Larra una sátira en tercetos, *La satiricomanía*, a la que contestó en tono destemplado y sarcástico en la *Carta panegírica de Andrés Niporesas a un tal don Clemente Díaz en contestación a cierta sátira contra el Pobrecito Hablador* (*Obras*, I, pág. 179), y más mesurada y respetuosamente en un artículo de la *Revista Española* que puede verse en *Artículos de crítica literaria*, ed. Clásicos Castellanos, Madrid, 1923, pág. 72. Estos escritos son, respectivamente, de febrero y marzo de 1833. Tal vez entre uno y otro, Díaz hizo comprender a Larra, tan cosquilloso, que su sátira no iba contra él, o que no tenía el alcance que él le daba.

mación muy directa y un gusto marcado por el detalle curioso y peculiar, por los nombres locales de las cosas, con los que da color a los cuadros y atmósfera a las figuras. En Díaz, esta realidad ambiental tiene mayor valor que los personajes, un poco convencionales, que en medio de ella aparecen.[11] El caso de Díaz es ejemplar también porque nos muestra cómo este costumbrismo local, rural, puede conducir gradualmente hacia el cuento a un escritor propenso a ello. Del cuento tiene Díaz el mismo confuso concepto que todos sus contemporáneos. La primera contribución suya al *Semanario* se titula así, *cuento*, y es un chascarrillo sin gran interés. Nada tiene de extraño que Díaz diera con el cuento sin percatarse de ello. *Conrado* tiene también pretensiones de cuento romántico, de los que parece una pesada caricatura.[12] Ninguno de los escritos de Díaz que hoy llamaríamos cuentos se rotula así en el *Semanario*.

Hay dos muy buenos, ¡*Calabazas*! y *La feria de Almagro,* de corte moderno, a tal punto que, salvo algunos resabios de lenguaje propios del tiempo, se dirían escritos cuarenta o cincuenta años más tarde. Cuentos, por supuesto, de poca acción, de mucho pormenor pintoresco local, en medio del cual destacan anónimas figuras aldeanas. El autor mismo anda siempre metido en el cuento, que, como muchos otros de fecha más reciente, pretende ser una "experiencia personal"; él lleva la palabra en todo caso. Lo más viejo o más envejecido de estos escritos es el lenguaje, que, allí donde el autor habla en propia persona, aparece rebutido de giros clásicos que en nada contribuyen a hacerlo más evocador ("una

---

[11] He aquí los títulos y lugares de esos artículos: *El matrimonio masculino,* cuento (1836, I, pág. 130); *Fragmento de mis viajes* (ibíd., pág. 205); *El baile de las ánimas* (ibíd., pág. 221); *Conrado* (ibíd., pág. 244); *Sultán y Celinda,* episodio de la historia de los canes (1839, IV, pág. 45); ¡*Calabazas*! (ibíd., pág. 129); *Costumbres provinciales. Un muerto* (ibíd., pág. 197), con su continuación *El novenario* (ibíd., págs. 293, 302); *La procesión de un lugar* (ibíd., pág. 273); *El cuento de vieja* (1840, V, pág. 13); *La feria de Almagro* (ibíd., pág. 139); *El sesto y el séptimo o andaluces y manchegos* (ibíd., 181); *El tío lobero* (ibíd., pág. 343); *Viajes. La hoz de Bárcena* (ibíd., pág. 383); ¡*Pobre don Melitón!* (1841, VI, pág. 7); *El ajuste de boda* (ibíd., págs. 199, 202).

[12] No deja de ser curioso este escrito bajo la pluma del autor de *Rasgo romántico* que ya citamos, pág. 54.

viejecilla avinagrada que a manera de trasgo o visión apareció repentinamente)"[13]; los diálogos, a pesar del empeño en imitar las deformaciones rústicas de las palabras, y no obstante los localismos de que están llenos, parecen torpes y artificiosos.

Interesante es comprobar que, en pleno romanticismo, Díaz prefigura algo parecido a lo que va a ser la experiencia artística de Pereda; por lo menos, su experiencia juvenil. Díaz no va al pueblo por entusiasmo, ni movido del convencimiento de habérselas en él con todas las virtudes antiguas. No hay nada de la fe de Fernán Caballero en esos escritos suyos. El pueblo que ve Díaz es zafio y agrio; es sobre todo insensible a cuanto significa miseria o dolor ajenos. El dolor es para el pueblo un espectáculo. De aquí que Díaz, como un clásico y como un moderno a la vez —en la mejor tradición española—, bordee en ocasiones el *esperpento* o, más exactamente, esa barroquización del esperpento que su creador, un gran artista de la última generación, ha llamado "apunte carpetovetónico". El artículo *Un muerto* y su segunda parte *El novenario* figuran en esta línea. No son escritos bien equilibrados —en seguida veremos en qué condiciones trabajaba Díaz—, pero están llenos de detalles crueles vistos originalmente y ajenos a toda beatería literaria. Léanse estas líneas de *Un muerto*: "Yo me salí de la casa con intención de escribir este *artículo*, cuando un chiquillo andrajoso que encontré en la puerta me suministró materia para concluirle. Estaba dando patadas en el suelo y haciendo visajes de impaciencia... ¡Madre, venga usted (le decía) que *hay aquí tanta gente*!!!... ¡Venga usted! ¡*qué bonito*!!... corra usted corriendo. —Pero ¿qué hay que ver? —dijo al fin la buena mujer... —Qué hay? —exclamó el chiquillo, abriendo unos ojos grandes y señalando hacia adentro con aire de pabura y de asombro—... ¡¡¡Un muerto!!!"[14] Da tema a este artículo, como al siguiente, no el caso que todo lo motiva —un hombre muerto—, sino el reflejo, reflejo grotesco, a fuer de esperpéntico, que lo sucedido deja en los circunstantes. Díaz entrevé las posibilidades de esta estética; no

[13] ¡*Calabazas*!, 1839, IV, pág. 131 *a*.
[14] 1839, IV, pág. 199 *b*.

sabe, empero, proceder con soltura, y los rasgos caricaturescos que prodiga, sobre todo en *El novenario,* suelen parecer recargados y arbitrarios, y en un buen esperpento no deben serlo.

No es extraño que sus cuentos o artículos no estén a veces a la altura del tema, a pesar de la indudable sagacidad con que tal vez éste ha sido comprendido. En ocasiones hubo de incumbirle la ingrata tarea de "ilustrar ilustraciones", de acompañar de un texto cualquiera cualquier viñeta de Alenza u otro, lo mereciera o no;[15] quizá también la de llenar huecos en el periódico.[16] Aun en aquella época que tan pachorrenta y tranquila nos parece hoy, el periodista hubo de sufrir graves servidumbres.

Resumamos: entre el *tipismo* y la singularidad significativa que reclama el cuento moderno, estos humildes escritos de Díaz suponen un tanteo inteligente de posibilidades nuevas. Lucha el autor con los tópicos costumbristas,[17] y, como Mesonero, se acerca sin desinterés artístico y acorazado de "humorismo" a ese medio rústico que se propone estudiar. Como no tiene una conciencia muy clara de lo que hace y obra por instinto, la composición de sus cuadros no es siempre armoniosa. Reminiscencias clásicas importunas le desvían más de una vez de su camino. Su tentativa de recoger viva la lengua popular, no sólo en palabras deformadas, sino en expresivos vocablos y giros restringidamente provinciales, es aún torpe, pero más justificada o justificable que la torpísima de los más de sus contemporáneos.[18] Las realidades que le dan materia acaban a veces por imponérsele. Una larga cita de una descripción de Díaz nos hará ver el resultado de esos tanteos. Se trata de una posada de pueblo, desbaratada e inhóspita en grado sumo. La patrona "es

---

[15] Así son los artículos *La procesión de un lugar,* escrito sobre un "lindo dibujo... del caprichoso Alenza" (1839, IV, pág. 276 *b*) y *El cuento de vieja* (ibíd., pág. 13).

[16] Tal debe de ser *La hoz de Bárcena,* pura palabrería sin interés alguno.

[17] Un ejemplo de ello en *El baile de ánimas,* uno de los infinitos que acaban a palos; aún tendremos ocasión de citar otros. El artículo culmina en un *típico* diálogo de viejas. El tono es siempre hostil y sarcástico.

[18] Ejemplos de todo esto en *El sesto y el séptimo o andaluces y manchegos,* en prosa y verso, escena de mesón que también termina a palos, con dejos cervantinos poco oportunos y torpe imitación del andaluz.

una viejecita entrecana de ojos chispeadores, color de tabaco alicantino y derrengada de caderas"; poco sabemos de ella; la posada misma hará mirar más atentamente al autor:

"...registré los departamentos todos con impaciente curiosidad... Una de éstas [piezas], la destinada a alojar mi persona, estaba aderezada con un triunvirato de sillas pintadas de *exquisito* almazarrón, una mesa coja, *que según lo malparada que se veía debió de hallarse sin duda en las guerras de Flandes* y un arcón desvencijado y cubierto de *un pedazo de saya de la madre de Rebeca. Engalanaban* las paredes de este *rico apartamento* varios pliegos de aleluyas y letanías de Vírgenes iluminadas de azafrán, sujetos en parte con gruesos clavos de herradura y pegados a trechos con recios plastones de obleas y pan mascado. Es de advertir que a mi llegada dos negras muchachuelas colocaron en una extremidad de este salón varios maderos que sacaron del pajar y dispusieron en forma de cama, sobre la cual tendieron una abultada saca por cuyo enorme vientre asomaban sus cabezas varias pajas de centeno. Ignoro todo lo que contendría aquel *coloso informe...*; sólo sabré decir que encerraba vivientes de una forma sospechosa a los cuales vi con mis propios ojos trepar, encaramarse, caer de golpe sobre las tablas y bullir con una inquietud continua, que me hizo *sospechar fuesen revolucionarios...*"[19]

Las *cosas* están ahí, pero ¡cómo están y en qué prosa! (Apenas necesito decir que los subrayados son míos.)

Mención aparte merece también José M. de Andueza, que además produjo novelas propiamente dichas —contribuyó con algunas novelas cortas a la redacción del *Semanario*— y colaboró a *Los españoles pintados por sí mismos*.[20] En *El Morrillo*, Andueza ha hecho de la vida de un aventurero *típico* un verdadero cuento (incluido en la revista bajo la rúbrica *Costumbres populares*). El carácter del héroe va destacándose de las vaguedades con que el escrito comienza: "Sentado ya el principio de mi *cuento,* no me será difícil encontrar entre tantos valientes hambrientos como produjo aque-

---

[19] *Fragmento de mis viajes*, 1836, I, pág. 206.
[20] *El Morrillo*, 1841, VI, pág. 217; *La venta de Alcudia y los arrieros*, ibíd., pág. 409.

lla noble paz, un hambriento valiente cuyo temple de alma no era
a propósito para resignarse a mendigar..., y este bravo entre los
bravos era... el nieto de un alpargatero de Málaga a quien sus ca-
maradas de montaña llamaban por mal nombre el Morrillo."[21]

Y la vida del Morrillo desfila ante nosotros en sus diferentes
avatares: jaque, guerrillero, contrabandista. Como muchos de los
costumbristas de esta etapa, Andueza tiene una despierta mirada
para todo lo que brilla pintorescamente en el arreo de su personaje;
ningún detalle indumentario se le escapa:

> "Montaba, en sus correrías por tierra, un arrogante bayo
> de rolliza cola y largas crines sobre blando aparejo cubierto
> por una magnífica *sacamanta* de airosos y sueltos flecos y bor-
> dada de sedas de colores; la cabezada, el petral y el baticol
> eran anchos, guarnecidos de motas de felpilla azul y blanca
> y de una baqueta forrada de terciopelo carmesí. En cuanto
> a su traje, era el de riguroso lujo de los contrabandistas:
> zapato doble de punta roma, botín de gamuza bordado, con
> sus correspondientes agujetas, calzón de punto de seda negro,
> cubiertas sus costuras laterales por dos hileras de botonadura
> de plata; canana de cuero, primorosamente trabajada...; cha-
> lequillo de seda, corbata de lo mismo, sujeta cinco dedos más
> abajo de la garganta por relumbrante topacio; camisa de
> chorreras, cuello vuelto, pañuelo en la cabeza, fino calañés
> de copa gacha y una elegante zamarra que no la diera él por
> el más rico de los uniformes del rey José que se cogieron en
> la batalla de Vitoria."[22]

Detallismo que debió de parecer excesivo a los contemporáneos del
autor, que tenían a la vista estas cosas o las recordaban en un pasado próximo; a distancia, la enumeración, algo prolija sin duda,
de ese brillante atuendo cobra un grato prestigio histórico, como de
estampa vieja.

Un cuento también es *La venta de Alcudia,* extraña posada ara-
gonesa en que, según el autor, se pagaba el escote en cuentos. Este
de Andueza, relato de zaragatas estudiantiles que terminan trágica-
mente, no carece de esos pormenores de realidad que eran tan del

---

[21] *El Morrillo,* págs. 217-218.
[22] Ibíd., pág. 219.

gusto del autor. Las costumbres estudiantiles recuerdan más bien ciertos artículos de Vicente de la Fuente de que pasamos a ocuparnos.

La colaboración de Vicente de la Fuente (1817-1889) al *Semanario Pintoresco* fue copiosa en todas las épocas de la revista; escribió de todo: vulgarizaciones históricas, episodios históricos anovelados, y como costumbrista publicó ensayos, pequeñas monografías de usos y tradiciones locales, de psicología colectiva, y breves croquis, pocos en número, de costumbres estudiantiles.[23] Poquísimos de estos rasgos tienen relación con el cuento ni aun remotamente; algunos podrían considerarse tales en la medida en que puedan serlo los chascarrillos (*El zahorí, La rabia y los saludadores, La astrología y los astrólogos, El salmón de Alagón*). Los esbozos de costumbres lugareñas, tan poco simpatizantes con la vida campesina como suelen serlo todos los de esta generación, no ofrecen grandes hallazgos. El más interesante y el más próximo al cuento de costumbres es *Las segundas nupcias* —Pereda escribirá aún sobre estas bestiales cencerradas—,[24] y no faltan atisbos curiosos en *Las vaquillas de San Roque,* atroz capea aldeana, y aun en la *Aventura de ronda,* no obstante ser el menos bueno. La preocupación del gracejo, tan frecuente entre costumbristas, contribuye a malograr estos ensayos, en que entrevemos la realidad moral a través de espesos recamos de ingeniosidades. Gracias frías y puramente verbales, mucho fraseo inútil de dejo clásico y cosas así.

Las historietas estudiantiles de V. de la Fuente no carecen de interés anecdótico, bien que tengan muy poco de cosa vivida. El

---

[23] Aún hemos de citar otros artículos de V. de la Fuente; mencionaremos aquí los que a nuestro asunto interesan: *Las segundas nupcias* (1840, V, pág. 203); *Las vaquillas de San Roque* (ibíd., pág. 348); *El alguacil alguacilado* (1841, VI, pág. 21); *El día de San Blas en Meco* (1842, VII, pág. 12); *El zahorí* (ibíd., pág. 30); *Aventura de ronda* (ibíd., pág. 54); *La rabia y los saludadores* (ibíd., pág. 78); *La tuna* (ibíd., pág. 149); *La astrología y los astrólogos* (ibíd., pág. 179); *El salmón de Alagón* (ibíd., pág. 187); *Las colaciones* (1843, VIII, pág. 11); *Las vacaciones* (1844, IX, pág. 14); *Máscaras* (ibíd., pág. 55); *Aleluyas finas* (ibíd., pág. 218).

[24] *Pasacalle* (1870), en *Tipos y paisajes,* por otra parte el menos novelesco de sus artículos de costumbres y el más arrimado al modo de hacer de Mesonero.

autor, como Mesonero y otros, en vista de que las costumbres actuales van perdiendo carácter, va a buscar asuntos para sus cuadros a tiempos pasados, bien que no muy remotos, y sus fuentes son en parte librescas. La Fuente parece, en ocasiones, un escritor del siglo XVIII, no porque, como Somoza, haya vivido en aquel ambiente y respirado aquella cultura, sino porque la centuria decimooctava es su época de elección. Como el siglo XVIII es muy vario y matizado, apresurémonos a decir que el de nuestro autor no es el de Somoza tampoco por el carácter, aquel siglo XVIII en sus postrimerías en que hasta lo popular tiene gracias y elegancias de tapiz de Goya. Nuestro autor está entre *Gil Blas* y *Fray Gerundio,* y la Universidad que él nos presenta, que no es la de su tiempo, se asemeja bastante a aquélla en que hubo de vivir don Diego de Torres. Todo esto hace que sus historias estudiantiles, que tan poca analogía tienen con el cuento moderno, parezcan como restos un poco informes de antiguas relaciones apicaradas. (Cfr. sobre todo *La tuna y el artículo sobre *El colegial,* en *Los españoles pintados por sí mismos,* II, pág. 104). El estilo que afecta nuestro autor, un poco amazacotado y lleno de perifollos clásicos, acentúa aún esta impresión. Salvo la composición, demasiado suelta y difusa, estos escritos son anécdotas mejor o peor contadas, a veces divertidas (*El día de San Blas en Meco*), otras veces llenas de la feroz brutalidad estudiantil de antaño (*El alguacil alguacilado*). A menos de insertarlo en un nuevo género de novela histórica —algo como *La corte de Carlos IV*—, este tipo de relato no tenía grandes posibilidades, y sólo cabía repetir los mismos tópicos. (Andueza, en *La venta de Alcudia,* siguió los mismos caminos, y si su historia es interesante, no es por lo que tiene de estudiantil.)[25].

Entre los mejores artículos de costumbres publicados en el *Seminario Pintoresco,* cuando ya no lo dirigía Mesonero, hay que citar los de José Giménez Serrano, que bien poco tienen de novelesco; [26]

---

[25] Anterior a los artículos de La Fuente y Andueza es el de J. Arias Jirón, *Costumbres salamanquinas. Los estudiantes de la tuna* (1839, IV, pág. 179), referido también al pasado más que al presente, relato de travesuras de poco interés.

[26] *De Jerez a Cádiz* (I: *El ajuste de la calesa*; II: *El viaje*; III: *El patrón del "Santa Teresa"*; 1843, VIII, págs. 77, 87, 94); *La cruz de mayo*

finas estampas, poderosamente evocadoras, de la Andalucía grata a los románticos. El trazo es ligero y la intención no muy profunda, y hay sin duda algo de convencional en la elección de los tipos, pero éstos están dibujados con gracia; hablan andaluz no porque deformen las palabras a la andaluza, sino porque a la andaluza piensan y sienten. Los ambientes están perfectamente vistos y descritos, y ni la atmósfera de la Fuente del Avellano, ni la del Paseo de los Tristes en la noche de San Juan podrían estar mejor comprendidas y descritas. Entre tantos escritores tiranizados por la preocupación de lo clásico o por el humorismo digresivo romántico, Giménez Serrano escribe simplemente bien, con una soltura y una naturalidad raras en su tiempo. Es posible que el ejemplo de "El Solitario" haya estimulado a nuestro autor, que tuvo, sin embargo, la discreción de no dejarse deslumbrar por lo que la prosa de aquél tenía de excesivo. Lástima que su obra de costumbrista no fuese más copiosa.

Este costumbrismo, una vez iniciado, era susceptible de ser repetido hasta la saciedad. Epígonos anónimos reincidirán más de una vez en relatos parecidos de fiestas aldeanas,[27] de capeas brutales,[28] referirán anécdotas de zafiedades lugareñas,[29] explotarán la Andalucía pintoresca de los bandidos y contrabandistas.[30] Tratar en detalle de todo esto sería llenar papel sin beneficio para nadie, ni aun para los olvidados autores, tan bien avenidos con su parvedad, que solían embozarse en el anonimato. Veamos otros aspectos del *Semanario* que, remotísimos de la novela, no son sin embargo indiferentes a la historia puntual de ésta, tal como la entendió nuestro siglo XIX.

El *Semanario Pintoresco,* en todas sus épocas, emprendió un nuevo descubrimiento de España y no escatimó esfuerzos para darla

---

(I: *El baile*; II: *La Fuente del Avellano*; 1844, IX, págs. 133, 140, 146); *La verbena de San Juan* (1846, XI, pág. 206).

[27] "Un Aficionado lugareño", *Las fiestas del lugar* (1842, VII, pág. 406).
[28] V. P., *La novillada* (1839, IV, pág. 221).
[29] "Un Aficionado lugareño", *Un bárbaro y un barbero* (1844, IX, páginas 254, 259).
[30] Juan Manuel Azara, *Los bandoleros de Andalucía* (1846, XI, páginas 347, 356).

a conocer. Además del costumbrismo que aquí nos interesa primariamente por lo que pueda contener de creación, de ficción, además de todas esas escenas, anécdotas, historietas, de todos los chascarillos y de todos los *tipos,* los colaboradores de Mesonero y de los que en la dirección del *Semanario* le suceden se empeñan en dar a conocer por la palabra y por la imagen la España recóndita, misteriosa, multiforme —¡tan bella!— de las provincias lejanas, de las comarcas perdidas en el repliegue de una serranía. Todo eso es interesante por sí mismo, porque es bello, porque es original y genuino; además, va a perderse, y va a perderse pronto. De aquí que esté justificado escribir con todo pormenor de cosas tan triviales y al parecer de ninguna importancia: "No, sino aguarden vuesas mercedes un tantico por vida mía y váyanse después por esos mundos a caza de consejas y de tradiciones, en busca de trajes provinciales y otras niñerías de este jaez, y así les responderán y satisfarán como por los cerros de Úbeda. Porque a nosotros está sin duda concedido de lo alto... el ver desaparecer... así el calañés de Triana como el gorro catalán, la boina vascongada como el pañuelo de Valencia y la cónica montera del labrador manchego... con todos sus adherentes y accesorios, ribetes y fililíes." Hay que guardar recuerdo de todas esas cosas a un futuro no muy lejano; "por barato que el género parezca, día llegará en que se venda caro."[31] "No es en Madrid donde se ha de estudiar a España, dice uno de los pocos viajeros que han acertado a formar un juicio sólido de nuestro país... y aunque sería tarea larga y difícil la de investigar el carácter y circunstancias locales de cada provincia... también es cierto que esta circunstancia debería enseñar a los que tan fácilmente juzgan a ser más reflexivos y prudentes... Es cierto que nosotros estamos distantes todavía de apreciar como se debe la índole de nuestros pueblos, despreciando hasta ahora el estudio profundo y detenido de sus costumbres, mirando ésta como ocupación de poco interés y, cuando más, de mero placer y recreo. Pero no es así. Aun prescindiendo de lo que puede ilustrar nuestra his-

---

[31] M. de la Corte Ruano, *Una romería a la Virgen de la Sierra* (1842, VII, págs. 299, 302).

toria, oscura e impenetrable a veces, en ninguna parte podrían buscarse datos más seguros para formar una buena estadística. Porque si se trata de averiguar cuáles son las fuerzas morales, físicas y políticas de una nación, nunca se presentará un cálculo más exacto que cuando se valúan justamente cada uno de los elementos que la constituyen, y es bien sabido que la índole y carácter de los habitantes entra en mucho cuando se hace con fidelidad esta evaluación." Hay que tener en cuenta la enorme variedad de España, cómo sus costumbres, recuerdo de otros tiempos, permiten establecer relaciones que de otro modo no podríamos ni sospechar. Y hay que apresurarse a ese estudio, ya que la moderna civilización todo lo va nivelando.[32] Desde los trajes y tocados hasta la *estadística*, una estadística de orden bien especial, apenas hay algo que no atraiga hacia las regiones españolas la curiosidad esclarecida de los redactores del *Semanario*.

Aunque expuestas ocasionalmente por colaboradores oscuros, estas ideas debieron de ser las de los sucesivos directores de la revista, sobre todo las de Mesonero —un Mesonero mucho más "curioso", aunque mucho menos "parlante", pero tanto más inspirador—, que fue el que concibió el programa y trazó el camino. Toda España es minuciosamente observada y muchos de sus aspectos genuinos y típicos van siendo consignados en estas páginas. Desde monografías nutridas y un poco mazorrales,[33] hasta verdaderos reportajes, de bastante interés en general, el modo de tratarlos es tan vario como los asuntos de que se trata. Se presta gran atención a los detalles de indumentaria[34] e igualmente a las ocasiones

---

[32] Arias Jirón, *Las bodas de los charros* (1839, IV, pág. 210). Aunque confuso, en este artículo el autor vislumbra un programa científico de investigación etnográfica y folklórica.

[33] Así el largo estudio de Iza Zamácola sobre el país vasco (1839, IV, págs. 307, 315, 323, 333, 338, 349).

[34] Santiago Diego Madrazo, *Usos y trajes provinciales* (con observaciones sobre economía, inventario de costumbres, bodas, entierros, refrescos, juegos, trajes; 1839, IV, pág. 385); J. M. Avrial, *El día de Santa Águeda en Zamarramala* (descripción de una curiosa fiesta popular nimiamente minuciosa en el detalle indumentario; ibíd., pág. 257); *Los avileses* (anónimo, 1842, VII, pág. 396); *Mujeres del Ampurdán y montañesas de Cataluña* (anónimo, 1843, VIII, pág. 229). Casi todos los artículos sobre regiones o

que permiten lucirla: procesiones, romerías, fiestas públicas y celebraciones familiares. Los más interesantes de estos artículos, en cuanto al contenido, son quizá los debidos a aficionados provincianos, no muy duchos en menesteres literarios, de pluma torpe, que, sin aprestos retóricos y hasta sin gran corrección gramatical, dieron a conocer usos singularísimos de varias provincias de España, muchos de los cuales han debido de perderse ya, y respecto a ellos las palabras de Corte Ruano citadas arriba se han verificado plenamente; el historiador y el etnógrafo, tal vez el folklorista, encontrarán en estas páginas amarillecidas una información que la realidad española tal vez no les ofrezca ya, o les ofrece más parsimoniosamente. Lo que en esta sección de costumbres provinciales tiene menos interés, aunque sea lo más copioso, es lo referente a Andalucía, que, o no pasa de reportaje trivial, o se refiere a orígenes históricos de determinadas fiestas y ceremonias;[35] lo mismo un artículo sobre la Semana Santa en Toledo.[36] La observación directa es en estos casos bastante pobre.

Estos modestos aficionados de provincia —se nos antoja ver en ellos personajes de Azorín—, como J. Arias Jirón, que nos describe usos curiosísimos de los charros (*Las bodas de los charros,* ya citado);[37] como Miguel Pollo y Lorenzo, que informa sobre una

---

provincias que luego se citan notan muy por lo menudo el aspecto indumentario. Todo es de poco valor como literatura, repito, pero en ocasiones es preferible a mucho del inane costumbrismo con pretensiones de arte que se hizo en la época.

[35] J. A. de la Corte, *Costumbres andaluzas. Navidad y Reyes* (1844, IX, pág. 6); *Una romería a la Virgen de la Sierra,* ya citada. — *La feria de Mayrena* (1839, IV, pág. 126, anónimo; apenas se habla en él de la feria; casi todo el artículo, que es breve, se pasa en descripciones de trajes de majos, majas y gitanas). — F. de V., *Un columpio en Sevilla* (1846, XI, pág. 291). — J. Colón y Colón, *La procesión del Corpus en Sevilla* (1840, V, págs. 187, 194; la procesión tal como se celebraba en el siglo XVIII). — A. Sánchez de Alba, *Función del Santo Sepulcro en Lebrija* (1845, X, pág. 89; especie de reportaje, interesante por el tema). — J. A. de la Corte, *El Entierro de Cristo* [en Cabra] (1844, IX, pág. 97.) — Amalia Corradi de Van Halem, *Costumbres de San Lúcar* (1846, IX, pág. 238).

[36] N. Magán, *La Semana Santa en Toledo* (1840, V, págs. 11, 117).

[37] De los charros había tratado ya Somoza en un artículo muy inferior, salvo tal vez el estilo, citado arriba, pág. 40.

extraordinaria costumbre, salmantina también (*Los ramos de Salamanca,* 1844, IX, págs. 117, 125); como Pedro Pérez Juana, autor de un verdadero reportaje sobre la conducción de maderas por los riachuelos de la Serranía de Cuenca (*Una maderada,* 1845, X, página 269; el autor escribía desde Buendía, y escribía mal, pero veía cosas interesantes); como el incógnito N. B. S., que se ocupa con mucha sagacidad del estudio de las costumbres levantinas (*Moros y cristianos,* 1839, IV, pág. 140; *La carrera del pollo,* ibíd., pág. 228 con mucho pormenor indumentario, y el curiosísimo artículo *Las bodas de Villena,* ibíd., pág. 270); como Joaquín María Bover, más conocido que los otros, que describe una romería mallorquina (*Fiesta rural de San Bernardo,* 1845, X, pág. 186); todos sacaban a luz con espíritu más científico o más periodístico que literario las prácticas más insospechadas. Todo este formidable inventario de *cosas,* objetos, usos, ceremonias, no tenía más vida ni más poder de evocación que los que puede tener... eso, un inventario. Las figuras aparecen inertes como maniquíes; están allí para que se admire el traje que llevan, Para que toda esta varia y rica realidad moral pudiera interesar a la novela, era necesario descubrir el corazón que latía bajo los ropajes, los afanes, satisfechos o insatisfechos, que lo encendían en medio de esas fiestas o en la ruda vida cotidiana, cuando la gaita, el pito o el tamboril habían dejado de tañerse. Esto es lo que hará más tarde una cierta novela "realista", que va a beneficiarse de esta realidad y no lo hará siempre bien, demasiado atentos los autores a la extrañeza ancestral de los ambientes. Hay que hacerse cargo de lo que un cierto "cuadro de costumbres" pesa aún sobre las novelas de Pereda para comprender cómo este espíritu de los colaboradores al *Semanario Pintoresco* pervive cuando podría suponérsele superado. Mal escritos están con frecuencia esos artículos de que nos ocupábamos y se detienen en la superficie de las cosas; hoy se leen, sin embargo, con más interés que algunas escenas falsamente jocosas, llenas de gracias crispadas, de gracejos verbales, e incomprensivamente caricaturescas. Estos autores no sienten hacia el pueblo rural la hostilidad de los otros costumbristas, la que aún alienta en el autor de las *Escenas montañesas* y de *Tipos y paisajes;* ni hostilidad ni amor. El espectáculo que se desarrolla a sus ojos les interesa de manera que no paran mientes en los actores.

De más pretensiones —y, en general, excelentes— son los artículos que al estudio de las provincias del Noroeste de España dedicó el malogrado Enrique Gil (1815-1846).[38] Aquellos ensayos afectan la forma de cartas a un amigo y son como el diario de excursiones que parecen haber comenzado en el valle de Pas, siguen por las montañas de León y terminan en Asturias y Galicia, no obstante no haber coherencia en las fechas; o se trata de varios viajes. (*Las pasiegos*, carta fechada en La Vega, 11 junio, 183…, 1839, IV, pág. 201; *Los montañeses de León*, Palacios del Sil, 8 agosto, 1837, ibíd., pág. 113; *Los maragatos*, ibíd., pág. 57; *Los asturianos*, Cangas de Onís, 8 noviembre 1838, ibíd., pág. 145.)[39] Estos artículos, a los que habría que añadir *El pastor trashumante* y *El segador*, publicados en *Los españoles pintados por sí mismos*, son ya obra de un escritor, y de un escritor atento a la belleza del paisaje tanto como a la singularidad de los usos que describe —para lo que emplea términos locales siempre que es posible, con un escrúpulo de filólogo—. (Repárese en las notas que acompañan a *El pastor trashumante*.) Un poeta romántico, con algo de romanticismo alemán, lleva la pluma ahora; admira la vida primitiva de estos pasiegos, pastores o contrabandistas; imagina el paso de estas

---

[38] No todos figuran en las *Obras en prosa* publicadas por don J. del Pino y don Fernando de la Vera e Isla, Madrid, 1883. No sé si hay errata o error de atribución respecto al artículo *Los gallegos*, firmado J. M. Gil, del mismo tono y forma que los otros (1839, IV, pág. 345), y que parece continuarlos (en el tomo de 1840, V, pág. 49, hay otro, *Los gallegos de Finisterre*, también epistolar, firmado G. L.). Los artículos de Gil van siempre firmados con sus iniciales.

[39] El artículo sobre los maragatos se utilizó sólo en parte en el que, con el mismo título, publicó más tarde el autor en *Los españoles pintados por sí mismos*, II, pág. 225; son diferentes, salvo el trozo (pág. 228 de esta publicación) que comienza: "Así, pues, cuando llega la época en que los futuros consuegros…" hasta "…se come, se baila, se cena y se acaba la boda", que ha pasado a esta versión desde la del *Semanario* con muchas variantes.

Sobre Asturias encontramos otro artículo malísimo de José Canga Argüelles, *Una romería* (1845, X, pág. 211). caso flagrante de aldeanismo madrileño.

robustas mozas que contrabandean, vestidas de blanco, por las cimas nevadas, y expresa sus imaginaciones con palabras que conservan un suave aroma de época: "¿Qué te parece que diría Hoffmann si en una noche de invierno viera deslizarse cuatro o cinco de estas montañesas a la orilla de un derrumbadero, con sus capas blancas, silenciosas y ligeras como las fadas? ¿No es verdad que esto tiene un poco de fantástico, particularmente a la luz de la luna y encima de la nieve?"[40] Pero la admiración no es en Gil un pretexto para no enterarse; todo lo examina atentamente. Su artículo sobre los asturianos es como la respuesta a un pequeño cuestionario folklórico: esfoyazas, romerías, danza prima, las supersticiones de las huestes y las janas, etc., son pasadas en revista, sin que falten esas descripciones de trajes que son de rigor. Y él también exhuma gozosamente usos primitivos, como los tan curiosos de las bodas de los maragatos, tan antiguos y con tanto sabor de terruño.

Peor parados salen los aragoneses de esta revista que de la realidad regional española pasa el *Semanario Pintoresco*. Ni el artículo de Vicente de la Fuente sobre *Los aragoneses* (1840, V, pág. 281), ni el de Miguel Agustín Príncipe (1811-1863) *Aragón y los aragoneses* (1839, IV, pág. 251), tienen interés mayor; este último queda truncado, pues se prometía una continuación que nunca salió a luz. Tanto La Fuente como Príncipe se reducen a la psicología del pueblo aragonés, de la que nada nuevo ni original dicen. Algunas tradiciones locales de Aragón recogió el *Semanario*,[41] pero en nada afectan a las costumbres que vamos examinando, ni, por supuesto, a la novela.[42]

---

[40] 1839, IV, pág. 230 *a*.

[41] V. de la Fuente, *Tradiciones populares de Daroca* (1842, VII, pág. 331; especie de repertorio de tradiciones locales); M. A. Príncipe, *La campana de Velilla* (ibíd., 288, 290); en cierto modo, *El paniquesero*, por "Un Aficionado lugareño" (1842, VII, pág. 235.) en que se explica el origen de una locución navarro-aragonesa. (En el mismo caso está *El salmón de Alagón* de V. de la Fuente, citado arriba, pág. 85).

[42] Algunas veces, los títulos hacen concebir esperanzas que no granan; así, *Las Batuecas*, de J. Arias Jirón (1839, IV, págs. 94, 118), que se limita a describir el abandonado monasterio y el paisaje que lo rodea, sin referirse para nada a los batuecos y sus costumbres.

Si apenas se dice nada de Cataluña, hay algunos interesantes artículos sobre la región levantina. Ya citamos los curiosísimos de N. B. S. sobre usos de Valencia y Alicante. El de Luis Alarcón y Fernández Trujillo *El huertano de Murcia* (1845, X, págs. 105, 113), aunque miserablemente escrito y tan mal puntuado que la lectura se hace difícil, tiene gran interés; es algo como el *curriculum vitae* de un huertano *típico,* pero no es tanto el huertano lo que en él vemos cuanto las cosas que le rodean, descritas con gran copia de voces regionales. El artículo *Los valencianos,* de Vicente y Caravantes (1839, IV, págs. 109), más superficial, es otro de esos interminables inventarios de prendas de vestir, con sus nombres dialectales, catálogo de fiestas populares y usos típicos que, como tantos otros ya citados, parece responder a un cuestionario.

Dejamos para lo último un artículo de costumbres valencianas de M. R[oca] de T[ogores], *Les milacres* (1836, I, pág. 12), que hubiera debido ser el primero, pues cronológicamente fue el primero en aparecer. Lo dejamos para este lugar porque él nos conduce de nuevo al terreno de que nos íbamos alejando; una nota nos advierte que el tal artículo es fragmento "de una novela original descriptiva de Valencia, cuyos artículos tal vez insertaremos en nuestro periódico". Esta novela seguramente no se terminó nunca, y en todo caso nunca vio la luz, y la lectura de ese trozo no nos permite comprender cómo se insertaba en el conjunto de la obra. Pero conviene retener este detalle: desde 1836 esta documentación folklórica o semi-folklórica, esta inmersión del espíritu del autor en el de un pueblo en fiestas, los derroches descriptivos de solemnidades populares, se veían ya como una de las posibilidades de la novela de costumbres. Fernán Caballero escribía ya, pero hasta 1849 nadie había de conocer, en España por lo menos, lo que calladamente preparaba. Algo que está en el ambiente acucia a incorporar a la novela la original vida regional española. Pero la novela no se hace con descripciones de fiestas y de trajes. Hacen falta en ella hombres, hombres y mujeres interesantes, ricos de vida interior. ¿Existen también en España seres novelables? ¿Nuestra vida es bastante rica en incidentes para que surja de ella una novela original que interese, conmueva o simplemente distraiga?

V

De 1825 es la *Physiologie du goût* de Brillat-Savarin; en la misma fecha, el Barón Alibert publicó su *Physiologie des passions ou nouvelle doctrine des sentiments moraux* (París, Berchet, 2 volúmenes 8.º), que pronto fue traducida al castellano y que Mesonero cita alguna vez.[1] Estos libros no nos interesarían aquí si el título no hubiera hecho fortuna, tanto que quince años más tarde todo París estaría inundado de fisiologías. Es que entretanto Balzac, gran admirador de Brillat-Savarin, lo ha hecho suyo en mil pequeños escritos de circulación rápida, y en la *Physiologie du mariage,* el segundo de los suyos que se tradujera al castellano, en edición hecha en Francia.[2] Brillat-Savarin no podía dar otra cosa a Balzac, si le dio algo, que el nombre escueto de *Fisiología,* aplicado metafóricamente a cualquier análisis de afectos, sensaciones, conductas o cualquier otra cosa. Estos juegos de ingenio se acordaban perfectamente con los gustos de la época, que empezaba a contemplar asombrada las prodigiosas revelaciones de la ciencia nueva. Balzac mismo no dejará de notar que la abundancia de términos técnicos, aun allí donde no parecen necesarios, señala una de las tendencias del len-

---

[1] *Fisiología de las pasiones o Teoría de los sentimientos morales,* trad. por C. A., Burdeos, Lawalle jeune, 1826; trad. por Lucas de Tornos, Madrid, 1840.

[2] Maynial, *L'époque réaliste,* París, 1931, pág. 40, considera a Balzac como iniciador del género: "Balzac avait été, avec sa *Physiologie du mariage* (1829), le génial initiateur de cette méthode." Maynial exagera un poco, a mi parecer, el mérito de las fisiologías, inclusas las de Balzac, pero ha hecho bien en tomarlas en cuenta y señalar su puesto en la historia del realismo.

guaje a la moda.³ Se diría que las fisiologías, en lo más externo de
su forma, en lo que tienen de parodia de tratados científicos, son
un reflejo irónico de esa moda... o no siempre irónico.

Las fisiologías son la fijación de una tendencia que en Balzac se
manifiesta pronto. Ya en 1825, el *Code des gens honnêtes*, publicado
con la colaboración de Horace Raisson, presenta ese carácter paródico de libro científico, bien arbitrariamente, pues ese código, que
parece obra de un Caballero de la Tenaza, es descriptivo y anecdótico, pero ni aun de broma podía ser normativo.⁴ Aun después
de haber escrito varias fisiologías, y simultáneamente con ellas, Balzac publica con diferentes títulos otros embolismos pseudocientí-
ficos análogos; las designaciones son muy varias: *traité* (*Traité de
la vie élégante*, 1830; *Traité des excitants modernes*, 1838); *étude*
(*Étude de moeurs par les gants*, 1830; *Étude de philosophie morale
sur les habitants du Jardin des Plantes*, 1830); *monographie* (*Monographie du rentier*, 1840; *Monographie de la Presse parisienne*,
1843; aún proyectó una *Monographie de la vertu* que no llegó a
escribir); *théorie* (*Nouvelle théorie du déjeuner*, 1830; *Théorie de
la démarche*, 1833). Entre las obras planeadas y nunca escritas figuran también una *anatomía* (*Anatomie des corps enseignants*) y una
patología (*Pathologie de la vie sociale*). Con todo, el término que
predomina es el de *fisiología*: *L'épicier*, que si no en el título, se
califica de fisiología en el cuerpo del ensayo,⁵ *Physiologie de la
toilette*, 1830; *Physiologie gastronomique*, 1830; *Physiologie des
positions*, 1831; *Physiologie de l'adjoint*, 1831; *Physiologie du cigare*, 1831; *Physiologie de l'employé*, 1841, sin contar muchos
escritos que si no se llaman así bien pudieran llamarse; de algunos
consta que la intención era ésta, que eran ensayos "fisiológicos";
verdad es que en el modo de titular Balzac no había rigor ninguno,
y como los rotulaba fisiologías los hubiera podido llamar cualquier

---

³ *Des mots à la mode* (1830), *Oeuvres diverses*, II, pág. 37.
⁴ Ibíd., ed. cit., I, 1935, págs. 64 y sigs.
⁵ "...ceux qui voudront lire l'analyse physiologique à laquelle nous al-
lons soumettre... l'épicier..." (ibíd., II, pág. 11). Hay otro artículo sobre
el mismo tema en *Les Français par eux mêmes*, refundición y amplificación
del que acabamos de citar, en el que no figura la palabra fisiología, pero
va implícita.

otra cosa.⁶ Me refiero a *Le sous-prefet* (1831), *La grisette* (1831), *Le provincial* (1831), *Le banquier* (1831), *Le claqueur* (1831), en cierto modo *Le philipotin* (1832), sátira hecha por los mismos procedimientos; implícitamente *Le notaire* (1839), una de las mejores de la serie, publicada en *Les Français par eux mêmes*, que era una colección de fisiologías. Hay aún la *Histoire et physiologie des Boulevards de Paris* (1844), y, en fin, y esto es lo más importante, en novelas balzacianas encontramos capítulos de inspiración y estilo análogos: *Physiologie du bossu* (*Modeste Mignon*, xxx); *Essai de toxicologie morale* (*Béatrix*, III, xix); *Pathologie des merciers rétirés* (*Pierrette*, iii); *Théorie des canards* (*Cousine Bette*, xciv); *Traité des sciences ocultes* (*Cousin Pons*, xiii); *Iconographie du genre brocanteur* (ibíd., xxix); *Physiologie du coiffeur* (*Les comédiens sans le savoir*, xvii);⁷ *Nosographie de la ville* (*Petites misères de la vie conjugale*, I, xiv). Aún cabría añadir a esta lista los capítulos de novela rotulados *Troisième variété de libraire, Quatrième variété de libraire, Une variété de journaliste,* que a veces parecen artículos sueltos (*Illusions perdues*); en el mismo orden *Spécimen de portier* (*Cousin Pons*, xii).

Como se ve, este modo de titular artículos sueltos o capítulos de novelas es enteramente arbitrario; indican además que es así ciertas significativas variantes; así, un trozo de las *Petites misères* se titula esta vez *Philosophie de la vie conjugale*, y no *Physiologie*, sin que se eche de ver por qué el modo de tratar la materia es ahora más "filosófico" que "fisiológico".

Todos los opúsculos o trozos citados, que suman varios centenares de páginas, son de muy diferente valor y de muy vario carácter, sin que las diferencias dependan de los asuntos. Balzac, ignorante en ciencias, a lo que por estos escritos parece —¿de dónde sacaría que las ciencias naturales proceden, como las matemáticas,

---

⁶ "*Le charlatan* [ibíd., pág. 23] devait être le premier article d'une série portant comme titre *Galerie physiologiste*" (nota a la ed. y tomo cits., pág. 685). *La vie de château* era en cambio un "tratado": "on nous demande un traité sur la vie de château..." (ibíd., pág. 59).

⁷ Este capítulo cambió de nombre al publicarse en volumen *Les comédiens*, y hay otro, el xxii, que se titula ahora *Physiologie de la vertu*.

por axiomas, teoremas y corolarios?[8]— se muestra al mismo tiempo fascinado y divertido por el rigor científico y por el pedantesco charlatanismo que sus apariencias permiten o favorecen; además, y así lo prueba un pasaje que citamos luego, no debía de considerar como legítimas algunas de las nuevas ciencias, y en parte tenía razón. En el fondo de toda esta considerable obra de Balzac hay como una pugna entre la concepción de la *Comedia humana*, historia natural y social, y la intuición de que la novela científica es una incongruencia, y la ironía que de todo ello resulta, ironía que recae en parte sobre el propio autor. De ahí ese falso humorismo, que nada tiene que ver con la ciencia, ni con el arte, ni con los objetos del estudio, y que se consume en la simple parodia de un riguroso método científico. Todos esos "axiomas" y "corolarios" son sólo ingeniosidades, a veces no pasan de juegos de palabras, y no siempre tienen gracia, o la han perdido, que la comicidad es la más "histórica "de las categorías estéticas, y lo que ha hecho reir a una generación casi siempre hace bostezar a las siguientes. Véanse, por ejemplo, en la *Physiologie de l'employé,* todas esas relaciones tan arbitrarias que se postulan entre el aspecto físico y las costumbres de los personajes clasificados, y se notará cuánto ganaría el artículo, que no es breve, despojado de tantas pesadeces.[9] Porque a pesar de esa danza elefantina, el autor, que no olvida su gran ambición —un año más tarde, en el prólogo de la *Comedia humana,* encontrará su expresión más acendrada—, tiene un serio concepto de la fisiología, "expression qui veut dire: discours sur la nature de quelque chose".[10] Cabría hacer una fisiología seria y profunda, sólo que... "ce livre veut se donner un bout d'utilité scientifique et mettre un grain de plomb dans ses dentelles".[11] Pero la impresión que se tiene, al contrario, es que los encajes se han sobrepuesto

---

[8] V., por ejemplo, esta frase: "comme le charlatanisme serait un contresens dans un ouvrage de philosophie chrétienne, nous nous dispenserons de mêler la peinture aux *x* de l'algèbre" (*Traité de la vie élégante,* ibíd., II, pág. 152), lo que hace pensar que el autor, en sus rigores matemáticos, hacía la parodia de ese charlatanismo.

[9] *Oeuvres diverses,* III, 1940, págs. 484-519.

[10] Ibíd., pág. 492.

[11] Ibíd., pág. 487.

inútilmente al plomo. ¿No era posible estudiar al empleado, hasta de modo humorístico, sin "axiomas" como éste: "Le rapport est un report, et quelquefois un apport"?[12] Como el rentista podía ser clasificado, y así lo hace el mismo Balzac en otras ocasiones, sin excesos paródicos de este género —este comienzo es característico del peor estilo fisiológico—: "RENTIER. — Anthropomorphe selon Linné, Mamifère selon Cuvier, Genre de l'Ordre des Parisiens, Famille des Actionnaires, Tribu des Ganaches, le *Civis inermis* des anciens, découvert par l'abbé Terray, observé par Silhouette, maintenu par Turgot et Necker, définitivement établi aux dépens des "producteurs" de Saint-Simon par le Grand Livre."[13] Líbreme Dios de querer poner límites al ingenio; se puede bromear sobre eso y sobre cuanto Dios creó, pero no es éste el camino para averiguar algo que valga la pena sobre el rentista o sobre el empleado. Balzac nos hace averiguar muchas cosas, pues la *Monographie du rentier* es excelente; se diría de ella que es como un tubo de color puro, perfectamente preparado para pasar a la paleta y mezclarse en el colorido de una obra maestra. Las chirigotas eran lo que no tenía importancia, pero esas crispaciones de humor forzado tuvieron un éxito enorme, en Francia como en España; muchos, Balzac mismo, olvidaron que debían al lector "discursos sobre la naturaleza de algo", y todo fue perderse en parodias botano-zoológicas, mezcladas a otras fórmulas sabias usadas por el maestro.[14] El cual, en su *Monographie de la Presse parisienne*, nos sorprende con un proyecto en que parece hacer la parodia de sí mismo, deformación irónica de aquel plan de *La Comedia humana* que ya había salido a luz; Balzac nos habla de un *Traité du bimain en société*.[15] Más de una vez, por debajo de bromas más o menos pesadas, reaparece esta

---

[12] *Oeuvres diverses*, III, 1940, pág. 514. Otros "axiomas" son símiles o metáforas: "Si la société est un corps il faut considérer les voleurs comme le fiel qui aide aux digestions" (*Code des gens honnêtes*, ibíd., I, pág. 79).

[13] *Monographie du rentier*, ibíd., III, pág. 209.

[14] "Dans l'état actuel des connaissances cette théorie est... la science la plus neuve (*Théorie de la démarche*, ibíd., II, pág. 613).

[15] Sin embargo, esta monografía interesa sólo por algunas desvengüenzas contra Sainte-Beuve y otros colegas. La mayor parte de los *tipos* deben de ser caricaturas de gentes conocidas.

obsesión de hallar en la vida social el lazo que anuda lo físico con lo moral; bajo la burla se adivina la exigencia. El revelador ideal de los grandes secretos, de los únicos que importan, sería "un philosophe un peu médecin, un peu physiologiste, un peu écrivain, un peu observateur, un peu phrénologue, et un peu philanthrope, ce qui résume les manies de notre époque" que se sienta atraído "vers cette partie de la physiologie si peu connue et si féconde, qui explique les rapports de l'être moral avec les agents extérieurs de la nature". "Celui qui révélera ces mystères aura découvert un monde."[16]

No nos es posible detenernos aquí en exponer todas las antinomias, todas las inconsecuencias del pensamiento balzaciano sobre este capítulo, ni la vastedad y autenticidad de su información científica. Seguir todos estos tortuosos meandros a través de una obra inmensa no nos incumbe a nosotros, ni podríamos hacerlo, aunque quisiéramos. Sólo diré que al llamar "fisiología" a tantas cosas que los modernos llamaríamos *psicología*,[17] y al exigir tantos sondeos exploratorios, Balzac, como un alquimista, ha obtenido muy buenos logros por medio de falsas experiencias y ha superado cuanto hasta entonces había sido y era la novela psicológica. Pero confundir una intuición genial con un método trae siempre graves quiebras. Balzac ha visto muy bien lo que daban de sí esos "tipos sociales" vistos en abstracto o construidos arbitrariamente, y se ha reído del resultado: "Il y a des gens qui font à tout propos le portrait de la jeunesse française, et qui peignent une génération entière avec d'autant d'assurance et de précision que s'il s'agissait d'un seul homme. Les caractères, les moeurs, les esprits les plus divers, ils expriment tout sous une formule générale; et on dirait, à les entendre, que

---

[16] *Physiologie de l'employé*, ibíd., III, pág. 493.

[17] Cfr. este texto entre mil: "...un trésaillement intérieur qu'elle attribuait à la crainte et dans lequel un physiologiste aurait reconnu la fièvre de l'inspiration" (*La vendetta, Oeuvres complètes*, III, París, Conard, 1912, pág. 160). Los contemporáneos escriben las mismas cosas, lo que no es extraño, sobre todo cuando eran amigos de Balzac. Leo en un autógrafo de la Duquesa de Abrantès, fechado en 1836: "Une physiologique d'un haut intérêt serait celle qui présenterait un homme patient sous le coup d'une souffrance violente" (transcrito en el catálogo *Trois têtes sous un bonnet*, París, 1936, pág. 45). Nuestros escritores, Mesonero, Estébanez, Fernán Caballero, decían lo mismo, como vamos a ver en seguida.

tous ceux qui n'ont point atteint l'âge électoral, pensent, agissent et
vivent au son du tambour. Mais cette formule varie avec les au-
teurs. De là les définitions les plus bizarres et les plus contradic-
toires".[18] Lo que se dice aquí de una generación podría decirse de
otras clases de *tipos*. No, la fisiología no daba resultados seguros,
no podía pasar de una broma. Podía ser útil, podía moler los colores puros utilizados por el pintor, pero era el pintor el que tenía
que dibujar, componer y colorear el cuadro. No era la observación
genérica, parodiando los procedimientos de la botánica hibridada
con el álgebra (¡!), la que podía enseñarnos algo; era, a menos de
ser verdaderamente ciencia, la creación artística "compitiendo con
el registro civil". Si la fisiología servía para algo era para preparar
ésta. "Pauvre argile d'où ne sort jamais le crime, dont les vertus
sont inédites et parfois sublimes! —dice Balzac de su rentista—
carrière où Sterne a taillé la belle figure de mon oncle Tobie, et
d'où j'ai tiré les Birotteau..."[19]

Pronto, cuanto publicista parisién era capaz de hacer un libro,
bueno o malo, se puso a la obra, y hubo fisiologías sobre todo lo
nacido y creado, hombres o mujeres, actividades o cosas. Balzac
mismo nos dará a conocer este tráfago; cuando nos habla del periodista *bravo*, del plumífero sin escrúpulos, nos lo presentará hacién-
dole la forzosa a algún editor para colocarle el manuscrito de una
fisiología, o combatiéndolas si no lo lograba, y decir, versátil y
contradictorio, contra las tales: "Aujourd'hui, la Physiologie est
l'art de parler et d'écrire incorrectement de n'importe quoi, sous
la forme d'un petit livre bleu ou jaune qui soutire vingt sous au
passant, sous le pretexte de le faire rire"; y en pro: "Les Physiologies sont comme les moutons de Panurge, elles courent les unes
après les autres, Paris se les arrache, et on vous y donne, pour
vingt sous, plus d'esprit que n'en a dans son mois un homme d'esprit".[20] Es una de las actividades forzosas del literato de estos tiempos: "un homme de lettres est professeur de quelque chose, ou

---

[18] *Le Bois de Boulogne...* (1830), ibíd., II, pág. 53.
[19] *Monographie du rentier*, ibíd., III, pág. 223.
[20] *Monographie de la Presse parisienne*, ibíd., pág. 591.

journaliste à cent écus pour mille lignes; il écrit des *Physiologies*, ou se trouve à Sainte-Pélagie après un pamphlet lumineux..."[21]

Autores bien conocidos y estimados en la época a que nos referimos escribirán su fisiología correspondiente: Sofía Gay, *Physiologie du ridicule ou suite d'observations par une société de gens ridicules* (1833); E. J. V. Arago, *Physiologie des foyers de tous les théâtres de Paris* (1840); Hippolyte Auger, *Physiologie du théâtre* (1840); Soulié, *Physiologie du bas-bleu* (1841); Eugène Guinot, *Physiologie du provincial à Paris* (1841); Félix Deriège, *Physiologie du lion* (1842); Charles Philipon, *Physiologie du flâneur* (1842). La boga de estos libritos es tan estrepitosa como efímera,[22] y aún hay que sumarles innumerables artículos de periódico como los tan citados de Balzac. Comienzan a ver la luz colecciones de fisiologías con una cierta unidad de asunto: aquel *Livre des cent-et-un*, que tanto entusiasmaba a Larra,[23] *La grande ville, nouveau tableau de Paris* (1843), a la que cooperan Balzac, Dumas, Soulié, Gozlan y otros muchos; en fin, la que más resonancia obtuvo, una resonancia inmensa, tanto en Francia como en España, *Les Français par eux mêmes* (1840-1842). Si la fisiología es el estudio analítico, casi científico, de tipos y cosas, el conjunto de estudios sobre los más característicos ¿no nos dará a conocer, como ninguna otra obra, una ciudad, una nación, una época?

Con menos profusión que en Francia, estas fisiologías se divulgan pronto por España, de la manera caótica como todo lo francés se difundía entonces entre nosotros, escogidas como Dios quiso. Ya

---

[21] *Physiologie de l'employé*, ibíd., pág. 490.

[22] La *Bibliographie de la France* registra una fisiología en cada uno de los años 1833, 1834, 1838, 1839 (no he podido ver el tomo correspondiente a 1835); en 1840 son ya siete las que aparecen; en 1841, 76; en 1842, 42; desde este punto culminante, la proporción declina rápidamente, y aun de la cifra absoluta hay que descontar numerosas reediciones de Brillat-Savarin y aun alguna de la *Physiologie du mariage*. En 1843 sólo se encuentran 15; en 1844, 12; en 1845, 5; ninguna en 1846 (a menos que se incluya a Brillat-Savarin otra vez); en 1847, una (con otra reedición del mismo); en 1848, 7 (con el mismo y Balzac); en 1849, 2; en 1850, 6 (con una reedición de Brillat-Savarin). De las cifras citadas no se deducen reediciones de obras publicadas en años anteriores.

[23] *Panorama matritense*, Obras, III, pág. 93.

vimos que las dos primeras, la de Balzac y la de Alibert, si es que ésta debe tomarse aquí en cuenta, fueron traducidas y publicadas en Francia por primera vez. Nuestras editoriales llevan un año de retraso sobre las de París; entre nosotros, los años 1842-1843 son los que marcan el momento culminante de este género que, también en España, pasa pronto de moda, bien que sea posible registrar perduraciones curiosas. Algunos escritores, como los más de sus colegas franceses en menesteres fisiológicos, se adiestran en esta nueva imitación, y por aquellas fechas se publican en España las siguientes atrocidades, ajenas e indígenas:

1842: *Fisiología del estudiante,* escrita por el Licenciado Borrajas [Jaime Tió], Barcelona, Bergnes; reimpresa *illic,* Oliveres, 1848.

Fisiología del miliciano nacional, por Luis Huart, trad. al castellano por N. N., Barcelona, Bergnes; reimpresa igualmente por Oliveres en 1848 bajo el título de *Fisiología del guardia nacional.* (Huart, redactor famoso del *Charivari,* fue el fisiologista francés más leído en España. Todas las fisiologías suyas traducidas por entonces al castellano salieron a luz en París en 1841.)

Fisiología del sastre, por Luis Huart, trad. por N. N., Barcelona, Bergnes; reimpresa igualmente por Oliveres en 1848.

Fisiología del médico, imitada de la que escribió en francés Luis Huart por N. N., Barcelona, Bergnes; Oliveres, 1848.

Fisiología del hombre casado, por Paul de Kock, arreglada a nuestro idioma por Ramón Castañeira, Madrid, Mellado; Barcelona, Bergnes; Barcelona, Oliveres, 1848.

Fisiología de los enamorados, por E. de Neufville, trad. por Ramón Castañeira, Madrid, Mellado.

Fisiología del enamorado, trad, por N. N., Barcelona, Bergnes; reimpresión de Oliveres, 1848.

Fisiología del negro, trad. libre de J. M. de A[ndueza?], Madrid, Boix (probablemente la *Physiologie des nègres* de Pluchonneau y Maillard, París, 1842).

Fisiología del solterón y de la solterona, escrita... por L. Couailliac, trad. por N. N., Barcelona, Bergnes; Oliveres, 1848. (Es la *Physiologie du célibataire et de la jeune fille* de ese autor, París, 1841.)

Fisiología del acreedor y del deudor, por Mauricio Alhoy, trad. al castellano por N. N., Barcelona, Bergnes; Oliveres, 1848. (El original, *Physiologie du créancier et du débiteur,* es de 1842.)

1843: *Fisiología de la modista,* por Manuel Béjar, Madrid, Unión Comercial.

Fisiología del músico, por Albert Cler, trad. por la señorita Ventura Rubiano Santa Cruz, Barcelona, Bergnes; Oliveres, 1848.

Fisiología del cómico, por don Mariano Noriega, Madrid, Unión Comercial.

Fisiología del poeta, por don Mariano Noriega, Madrid, Unión Comercial.

Fisiología del beso, por don L. Corsini, Madrid, imp. La Amistad; reimpresa en Madrid, Rivadeneyra, 1856.

Fisiología del revolucionario, obra original de don Alejandro Mayoli y Endériz, Murcia, Palacios.

Fisiología del solterón, arreglada y libremente acomodada al gusto español por El Modhafer, Madrid, Unión Comercial.

Además de las reimpresiones de Oliveres que hemos citado, aún hay que añadir otra de la *Fisiología del matrimonio,* de Balzac, también de 1848.

Esta lista deja ver suficientemente lo que tales publicaciones tenían de especulación editorial, y el carácter de ésta. Son nuevamente editores catalanes, bien al tanto de lo que pasa en París, los que inundan la Península de esta literatura barata; después vienen las tentativas de obra original, casi todas de Madrid. El interés por estos libros desaparece enseguida y salvo las reediciones con que Oliveres trata de resucitarlos en 1848, ya no encuentro en los repertorios bibliográficos mención de más fisiologías, si no es la *Fisiología del jugador de billar,* escrita por don José María Schmid, Barcelona, Granell, 1854 y *Fisiología del amor o guía de los amantes,* "obra interesante a la buena sociedad, seguida de breves reflexiones sobre el coquetismo y de sentencias escogidas de los ingenios más aventajados en el arte de amar", de José Zapater y Ugeda, Valencia, Cabrerizo, 1856. Ya no se publicarán más libros de este tipo, pero escritos breves sí, y aún citaremos alguno de autor ilustre.

Entre los mencionados no lo hay en este caso, pero si ninguno de nuestros costumbristas renombrados los escribió tales, ello no quiere decir que el género fisiológico les fuera indiferente. No hay que olvidar que todos fueron articulistas, que trabajaron siempre para el periódico; sus libros nunca fueron sino colecciones de artículos sueltos. *El hombre-globo* de Larra (1835) tiene algo de fisiología, y más aún *La planta nueva o el faccioso* (1833), subtitulado "artículo de historia natural". Ya vimos que Estébanez escribió una *Fisiología y chistes del cigarro*, que, por cierto, bien poco tiene de común con los escritos así llamados —ni con la *Physiologie du cigare* de Balzac—; en todo caso su concepción de la fisiología (psicología) es la entonces canónica.[24] Mesonero emplea el término como podría hacerlo Balzac,[25] y aún podrían citarse ejemplos de aquel uso en obras de Bretón u otros.[26] No insistiremos sobre el fisiologismo en Fernán Caballero, pues le hemos dedicado un libro donde esto podrá verse en todo detalle. Ninguna de estas curiosidades originó en España obras brillantes y duraderas; se trataba de "juguetes", como dirá Fernán. Pero como ocurrió con todo lo que, importado de fuera, ocupa los espíritus españoles del siglo XIX, aquella concepción y el término que la expresa tuvieron entre nosotros mayor perduración que en Francia. En Francia no se publicaban ya fisiologías cuando escribía don Eugenio de Ochoa: "Bajo el título de *Manual de cuquería o Fisiología del cuco*, se propone hace ya muchos años un amigo mío... escibir un libro",[27] aunque es claro que la acepción del vocablo que al fin ha prevalecido lucha en la mente del autor con la que ocasionalmente tuvo y había de

---

[24] "quien presuma de alto fisiólogo o que pretenda ser zahorí de los ajenos pensamientos, por estas muestras fugaces y exterioridades... podrá deducir lo que guste..." (*Don Opando, Escenas*, pág. 103).

[25] "Si nos hubiéramos propuesto abrazar la fisiología de estos cuatro medios de calefacción..." (*Al amor de la lumbre*, 1841; *Escenas*, pág. 383).

[26]

Así la fisiología
de las pasiones voraces
ignoras, mujer vulgar...
(Bretón, *El editor responsable*, 1842; *Obras*,
Madrid, Ginesta, 1883, III, pág. 148.)

[27] *París, Londres y Madrid*, pág. 592. (El trozo en cuestión lleva la fecha 1857).

perder tan pronto.[28] En 1853, Alarcón subtitula "autopsia" su artículo *La fea*, pero *La hermosa* (1854) es aún una fisiología.[29] Menos interés tienen los artículos de José Puiggarí, *Fisiología del perro* en el *Museo Universal*, 1861, V, págs. 398-399, 404-406, 414-415. La *Fisiología del baile* de Pereda (1863) ya no recuerda las antiguas sino en el título, pero *La granadina* del citado Alarcón (1873), a que aún nos referiremos, permanece fiel a las fórmulas del viejo maestro, con las acrobacias ursinas que eran usuales hacia 1840.

Podrían ignorarse todos estos detalles si por los años de 1843-1844 no se hubiera publicado en Madrid un libro redactado por los más notables escritores de la época, en extraña promiscuidad con gran número de periodistas oscuros, que constituye una de las más curiosas producciones de todo aquel período, y una de las más fecundas en consecuencias, aunque apareciera como un crudo plagio del francés. Aludimos a *Los españoles pintados por sí mismos*, libro que comenzó a salir de las prensas de Boix, en Madrid, a principios de 1843.

[28] "[la envidia] es producto de no sé qué rara mezcla de sangre que diz que corre por nuestras venas. Sin desdeñar yo esta explicación fisiológica..." (ibíd., pág. 448; véase otro ejemplo de más dudosa interpretación, ibíd., pág. 348; textos fechados en 1856).
[29] "de cualquier modo, desde que dejan de ser hermosas no pertenecen a esta fisiología" (*Verdades de paño pardo*, Madrid, C. I. A. P., s. a., pág. 170). No es la única vez que emplea el vocablo en este sentido; en otra ocasión nos dice que Mahoma "era conocedor a fondo del cristianismo y del judaísmo, instruido prácticamente en sus viajes..., fisiólogo hábil, apreciador justo de las costumbres y carácter de los orientales..." (ibíd., pág. 42).

VI

El libro salió a luz por entregas semanales, como casi todas las publicaciones de algún volumen aparecidas por entonces, y exteriormente, salvo la inferior calidad del papel y la mediocridad de ciertos grabados —otros son excelentes— no se diferencia gran cosa de su modelo francés.[1] Se ha puesto empeño en que el parecido sea lo más estrecho posible, y esta voluntad de imitación no debió de reducirse a lo meramente tipográfico. Sólo que, como los de las *Cartas Españolas,* estos costumbristas reunidos por Boix hubieron de conformarse, bien o mal de su grado, con las circunstancias contemporáneas del país.[2]

El editor no pudo atenerse al plan primitivamente propuesto. Unas protestas irónicas de Fermín Caballero nos permiten averiguar algo de aquellos primeros propósitos: "Hase ofrecido que la obra se dividiría en dos partes, comprendiendo el primer tomo los retratos de la capital... y el segundo los de las provincias. Mas ¿dónde está ni puede hallarse semejante línea divisoria?... Otra oferta se ha hecho, solemne y sustancial: que los tipos serían ex-

---

[1] Poco antes había aparecido una imitación de otra obra distinta, que seguía a su vez el mismo modelo francés: *Los niños pintados por sí mismos,* obra arreglada al español por don Manuel Benito Aguirre, Madrid, Boix, 1841. Supongo que procede de *Les enfants peints par eux mêmes,* París, Desessarts, 1840, o de *Les enfants peints par eux mêmes, types, caractères et portraits de jeunes filles,* París, imp. Lacrampe, 1841, o de uno y otro combinados.

[2] Sobre las semejanzas de temas entre la publicación francesa y la española v. Le Gentil, *Bretón de los Herreros,* pág. 245; en este cotejo es fácil comprobar que los tipos retenidos en *Los españoles...* son los menos *costumbristas,* en el sentido español de la palabra.

clusivamente españoles. O esto quiere decir que los españoles son españoles, que es una necedad, o quiere decir otra cosa, y entonces lo mismo se cumple ésta que aquélla... Se dirá que entre el pretendiente de un empleo en París y el que solicita en Madrid hay tales y cuales diferencias..., pero esto no constituye un tipo exclusivo de nación alguna. No hay dos hombres ni dos cosas absolutamente iguales, y todos los individuos no son tipos. Convendré... que el torero y el charrán puede considerares españoles por naturaleza y vecindad..." "Calculáronse cien retratos como pudieran echarse cincuenta o trescientos; se presupuso que harían dos tomos, y no creyéndolos bastante separados con que cada cual tuviera su cosido, su encuadernación, su cubierta o su pasta, ocurrió el capricho de distinguir el mismo contenido... Mas... tampoco ha faltado quien objete al editor que por más que divida tomos, la obra será única..."[3]

Otros insistirán también en el carácter exclusivo o cosmopolita de ciertos tipos, y nos dirán que "la mujer del mundo no es un tipo local, sino un tipo patrimonio *in partibus (sic)* de todos los países, dejando salva alguna que otra leve particularidad o rasgo característico del suelo en que tiene establecido su laboratorio",[4] o que, al trazar el retrato de un usurero, no se le puede "prestar para evitarle ser un cabal retrato más que algún traje provincial que... resiste a la volubilidad de los tiempos"; los escritores, puestos a esta tarea, "no se han propuesto precisamente consignar tipos de nacionalidad exclusiva, sino seguir a aquéllos en diversos rumbos de la vida social".[5] Ni ¿cómo evitar las coincidencias en un país tan "traducido" como el nuestro lo era entonces? "...Como aquí nadie sabe nada, como ninguno inventa y como hay poquísimos que conozcan su propio país, que se desdeñan de observar, prefiriendo estudiar las costumbres extranjeras, las traducciones son recibidas por la generalidad como muestras de un gran talento..."[6] En el contexto, estas palabras no se aplican tanto a la literatura

---

[3] Fermín Caballero, *El dómine*, I, págs. 350-351.
[4] Rodríguez Rubí, *La mujer del mundo*, ibíd., pág. 343.
[5] J. de Capua, *El usurero*, II, págs. 295-296.
[6] I. de Castilla, *El ministro*, ibíd., pág. 207.

como a la labor de los hombres políticos, pero su carácter absoluto no deja de hacerlas aplicables a cualquier otra cosa. Ya veremos cómo esta disyuntiva: bordear la imitación u observar las costumbres del propio país, va a tener importantes consecuencias. Por lo demás, nada tenía de censurable estudiar modalidades españolas de tipos universales. Van a ser muchas veces los españoles mismos los que en su empeño de buscar lo genuino hagan de España un país de excepción, segregándola en cierto modo de la comunidad europea.

No sabemos si el nombre "fisiología" figuraba en el prospecto de la obra, que no hemos podido encontrar; no figura en la portada, que es bien sobria, pero sí varias veces en el curso de la obra y en la introducción misma, donde se indica de modo explícito cuál es el contenido del libro. Así se dice, dando a entender los obstáculos que se oponen a un cumplimiento literal del plan concebido: "Vaya usted a hacer que Paquito Montes escriba la fisiología del torero".[7] Y otras veces: "henos aquí en un punto de la fisiología que nos obliga a decir algo sobre la posición social del barbero";[8] "el cielo sabe si esta mujer [la socialista] es digna de una fisiología en un tomo";[9] "no emprendiera yo la temeraria empresa de trazar esta gigantesca fisiología, que sólo imaginarla me confunde".[10] Pero ya vimos que era posible hacer fisiologías de mil cosas, y sobre mil cosas se hicieron: sobre el matrimonio, sobre el cigarro, sobre el beso... Estas que ahora se intentan serán fisiologías de *tipos*. La obra no ha de componerse de individualidades, "sino de clases y categorías", dice uno de los colaboradores.[11] Nuevamente nos parece ver cierta incongruencia entre el proyecto

---

[7] *Introducción*, pág. vii.
[8] A. Flores, *El barbero*, I, pág. 24.
[9] García Tassara, *La politicómana*, II, pág. 47.
[10] A. Auset, *El mayoral de diligencias*, ibíd., pág. 190. Sin referencia directa a la publicación encontramos frases parecidas en otros lugares: "este tifus contagioso designado por los fisiologistas de la sociedad con el nombre de empleomanía" (Mesonero, *El pretendiente*, I, pág. 61; *Tipos y caracteres*, pág. 65); "añaden [los satíricos], metiéndose a fisiólogos, que se descubre en el sexo imberbe... cierta rareza de carácter... que las asimila a las telas" (J. M. Tenorio, *La casera de corral*, II, pág. 22).
[11] Bretón, *La castañera*, I, pág. 163.

editorial y su cumplimiento. La introducción dice: "ofrecemos a
la sensatez de nuestros compatriotas una colección de alimañas,
tipos degenerados que nos quedan de nuestra bastardeada originalidad".[12] Se diría que se nos ofrece un libro amargamente satírico,
y no es así. Su examen causa cierta amargura, y a través de él se
ve una España mezquina, o mas bien, empequeñecida, ya veremos
por qué. Pero como muchos de los personajes que a nuestros ojos
desfilan no son ningún producto de degeneración —¿por qué lo
serían la lavandera, el cazador, el pastor trashumante o el maragato?—, cabe suponer que el editor y sus colaboradores lo enten-
dieron de diferente manera. A menos que el autor de la introducción haya querido decir una cosa y haya dicho otra, lo que no es
imposible.

Pero ¿cómo entender ahora esto de los *tipos*? ¿Qué es un tipo?
Dejemos aparte empleos disparatados de la palabra por escritores
casi niños que apenas sabían lo que se decían;[13] otros más sesudos
tampoco tienen un concepto muy claro de lo que hacen. De un
modo general parece entenderse que se trata de describir personajes representativos de toda suerte de fenómenos sociales; así
podrán entrar en el libro figuras muy de aquellos días, sin pasado
ni porvenir, como el exclaustrado, con otras, como el torero o el
guerrillero, que incorporan cualidades permanentes del espíritu español. Algún escritor lo hará notar así, porque el forcejeo de la
propia conciencia contra las normas editoriales se revela más de
una vez a lo largo de la obra. "Este tipo no es realmente tipo —dice
Gil y Zárate refiriéndose al exclaustrado—, que no nace de costumbres más o menos arraigadas en el pueblo, que no ha podido
él mismo forjarse hábitos particulares... y... no se le debe considerar sino como un fenómeno casual y pasajero";[14] "ocupaciones
constantes, ideas fijas, costumbres inalterables [son] circunstancias
necesarias para formar un tipo".[15] Varios de los personajes retra-

---

[12] *Introducción*, pág. vi.
[13] "A los doce años comienza el objeto de nuestro tipo... a dar muestras de sus disposiciones "(Loma Corradi, *El aprendiz de literato*, I, pág. 415).
[14] Gil y Zárate, *El exclaustrado*, ibíd., pág. 318.
[15] Gil y Zárate, *El empleado*, ibíd., pág. 78.

tados en *Los españoles...* deberían suprimirse, pues. El "humorismo" favorece una vez más todas las confusiones; Bretón no se contentará con hablar de tipos; hablará de "clases", tratando de la "benemérita clase" de las castañeras.[16]

En un artículo que quedó fuera de la colección de Boix, aunque fue escrito para ella, encontramos una larga disquisición sobre esta fórmula de costumbrismo, y, como polemiza con otros colaboradores, vale la pena citarlo, aunque la cita sea larga:

"¿...qué es un tipo? Me parece que no se ha comprendido bien esta palabra en España; algunos la toman en el sentido de profesión u oficio [la "clase" de Bretón], en cuyo caso son tipos la verdulera y la mujer del abogado; otros pretenden que la España de hoy es la España de Felipe II y nos hablan de la mogigata [la fijeza de ideas y hábitos de Gil y Zárate], y no pocos creen haber encontrado la piedra filosofal al encontrar la marisabidilla en estos tiempos. Yo no puedo pasar por semejante abuso y establezco la cuestión de este modo: Tipo es un individuo de la sociedad que representa una clase a la cual convienen costumbres propias que de ningún modo pertenecen a otra alguna. Claro es como la luz del sol que la gitana, el guerrillero, el ama de llaves, el indiano y el sereno comen y duermen; por eso mismo no se les debe presentar en la cama ni en la mesa, sino en aquellas escenas de la vida particular en las cuales resalta el carácter que verdaderamente les corresponde, y he aquí principalmente... la causa primordial de que tanto te hayan agradado las citadas fisiologías y otras que habrás examinado antes de llegar a mi doncella de labor, a saber, porque *Los españoles pintados por sí mismos* te presentan precisamente tipos y no artículos de costumbres, cosa que no debes confundir, y porque en estos tipos está no sólo retratada la figura, sino el alma."[17]

El autor de estas líneas, J. M. de Andueza, propugna, muy confusamente, algo que es, en sustancia, la fórmula de las fisiologías francesas "que no se ha comprendido bien en España"; fórmula

---

[16] Bretón, *La castañera*, ibíd., pág. 31.

[17] Andueza, *La doncella de labor*, Semanario Pintoresco, 1845, X, página 74 *b*. Aun sin la mención de *Los españoles...*, las otras citas indican claramente el destino del artículo.

que se aleja todo lo posible de la novela y de todo lo novelesco y que impone al escritor el estudio de lo que en los personajes hay de genérico, con el escollo casi ineludible de lo convencional; la comprensión de ciertos aspectos profesionales y sociales. Según esta fórmula, hay mucho de trabucado y erróneo en *Los españoles*..., pero no es la estricta atenencia de este libro a aquella ortodoxia lo que aquí puede interesarnos, ni cómo o por qué la siguen o se desvían; lo interesante es cómo o en qué contribuyen al descubrimiento de un orden determinado de realidades españolas.

* * *

La ocasión era propicia. *Les Français par eux mêmes* habían interesado en España;[18] los temas estaban, por decirlo así, en el aire.[19] El éxito editorial dependía de la oportunidad y, naturalmente, del acierto en la elección de los colaboradores. En este punto, Boix no se mostró difícil. Llamó a colaborar a todos los escritores de renombre que por entonces había en España, sin excepción notable, y a muchos jóvenes, periodistas todos, que comenzaban a darse a conocer. De los costumbristas que habían escrito en las *Cartas Españolas* había muerto Larra; Mesonero y Estébanez cuentan, naturalmente, entre los colaboradores; de Mesonero hasta se diría que es el espíritu rector de la empresa; su influencia es la más sensible, y en el artículo final, que es suyo, resume y como sintetiza la obra acabada. Los únicos nombres de costumbristas de alguna importancia que echamos de menos son los de Segovia y Modesto

---

[18] Hasta las protestas aseguraban el éxito. Le Gentil, *Les revues,* página 124, cita un artículo inglés de origen, publicado en la *Revista de España y del Extranjero,* II, pág. 92 (segunda serie), "où l'on relève avec une intention perfide les portraits de la grisette, 'de todos los productos de París el más verdaderamente parisién', de l'épicier de Balzac, du gamin de Paris de Janin, de l'agent de change de Soulié".

[19] En *El Laberinto,* A. Azcona, autor de novelas, publicaba entre 1839 y 1840 artículos cuyos títulos interesan en conexión con lo antes dicho: *El aficionado a la literatura, El ciego de profesión, El sacristán, La criada, El cochero, El pretendiente, El barbero.* Recuérdese lo dicho a propósito del *Semanario.*

Lafuente, que probablemente se inhibirían o fueron excluidos por motivos personales. No parece que ideas políticas, religiosas o literarias influyeran para nada en la elección de los redactores.

Es muy curioso examinar de cerca el conjunto que éstos forman. Se diría que en *Los españoles...* Boix ha querido presentar la obra de dos generaciones bien distintas, aunque no opuestas, de las cuales la más joven se creía sucesora y heredera de la anterior. El problema de las generaciones, tan debatido hoy, no se plantea claramente en esta copiosa obra, u obliga a interpretaciones por demás sutiles y sin gran poder convincente. Advertiremos, desde luego, que la generación más joven muestra muy poco nervio, y que casi todos los que la componen han de fracasar; pocos nombres quedarán en la historia literaria; en el caso más favorable, se les recordará como periodistas, y, aun como tales, no siempre deben a sus escritos el recuerdo que de ellos queda. Esta generación, sumisa y pazguata, se fue infiel a sí misma. Los más de estos escritores mozos llenan el lamentable interregno que media entre el apogeo del romanticismo y el alborear de una literatura que triunfará con la revolución. La mediocridad y el carácter indeciso que les distingue explican que casi todos los que componen este grupo, que aún hacía concebir esperanzas, se muestren bien hallados con su condición de epígonos; su modestia corre parejas con su flaqueza.

El Duque de Rivas tenía 52 años cuando *Los españoles...* aparecieron; Antonio Flores, si había nacido en 1821, como indican algunos repertorios, tenía 22;[20] estos extremos, tan distantes entre sí, harían pensar en una diversidad de calidades y de tonos que la lectura de los artículos no comprueba. Esta grisura y monotonía podría explicarse bien; muchos de los viejos, ya consagrados, escriben por compromiso y sin entusiasmo, mientras que los jóvenes dan lo mejor que tienen. En cuanto al tono, una vez más, los jóvenes, a fuer de costumbristas, se avejentan, como hicieran antaño sus maestros. Cronológicamente se destacan dos grupos: uno, el

---

[20] Nos inclinamos a aceptar 1818 como fecha de nacimiento. El mismo año en que aparecieron *Los españoles...* salió a luz *El Laberinto,* que Flores dirigía. Poco probable es que asumiera esa dirección con 22 años, ni creo que legalmente fuera posible.

de los mayores en edad, menos homogéneo que el otro. Los primeros cuentan entre 52 y 37 años (Rivas, 1791; Gil y Zárate, 1793?;[21] Bretón, 1796; Estébanez, 1799; Fermín Caballero, 1800; López Pelegrín, 1801; Mesonero, 1803; Hartzenbusch, 1806). Los otros cuentan de 30 a 20 (García Gutiérrez, Salas y Quiroga, Ribot y Fontseré, 1813; Ferrer del Río, 1814; Cueto, E. Gil, Ochoa, Calvo Martín, 1815; Madrazo, Villergas (?), 1816; V. de la Fuente, García Tassara, Zorrilla, Rodríguez Rubí, Rosell, 1817; Navarro Villoslada, Navarrete, Flores (?), Neira de Mosquera, 1818; G. Tejado, 1819; J. J. Bueno, 1820; Herrero, 1822; Albuerne, 1823). Supongo que casi todos aquellos de que me ha sido imposible encontrar datos eran gente imberbe; muy jóvenes eran por entonces Juan de Capua y J. M. Tenorio, citados como tales en el *Semanario Pintoresco*; muy joven debía de ser Antonio Auset, que en 1850 todavía pasaba por autor novel.[22] Con pocas excepciones, casi todos los desconocidos deben de hacer por entonces sus primeras armas.[23]

---

[21] Esta es la fecha que se da en la biografía inserta por Ochoa en las *Obras dramáticas* de este autor, París, Baudry, 1850; en los *Apuntes para una biblioteca...* da la de 1796. Los manuales y repertorios acogen una u otra.

[22] V. en el *Diccionario* de Hidalgo la reseña de su drama *El lirio entre zarzas,* estrenado en 1850 con poco éxito.

[23] Nada he podido averiguar sobre Cipriano Arias, Juan Juárez, Luis Loma Corradi, Vicente López. De Andueza ya vimos que había comenzado a colaborar en el *Semanario pintoresco* poco antes de aparecer *Los españoles...*; antes que los artículos mencionados, en 1843, publicaba varias poesías. I. de Castilla publicaba versos en la misma revista en 1843. El autor que firma Manuel de Ilarraza ha de ser Manuel D[íaz] Ilarraza, que en 1846 daba a luz una *Historia de la revolución política de España.* Ignoro la fecha del nacimiento de Santa Ana, el más famoso entre los periodistas como fundador, andando el tiempo, de *La Correspondencia.* En el mismo año en que se publicó su artículo de *Los españoles...*, publicó un volumen de *Recuerdos y leyendas andaluzas,* Madrid, Campanero, 1844. Entre los autores menos conocidos, pocos eran los que habían visto ya impreso algún libro suyo; así Ribot y Fontseré, autor de *Poesías patrióticas y de circunstancias,* Barcelona, Estivil, 1841. Pérez Calvo, que tuvo cierta notoriedad como perseguido político en ese mismo año de 1844 en que fue deportado a Filipinas (vid. Pirala, *Historia contemporánea. Anales desde 1843,* I, pág. 382; Bermejo, *La estafeta de palacio,* Madrid, 1872, II, pág. 528), publicó en 1846 una *Galería de la prensa o Colección de retratos políticos de los periodistas de España,* Madrid, Saavedra. Algunos de los colabora-

Obsérvense los nombres que encabezan este segundo grupo; entre ellos figuran algunos de los más preclaros en la historia del romanticismo. La cronología aparta a Zorrilla de Gil y Zárate, a García Gutiérrez de Hartzenbusch, pero la historia tiene forzosamente que reunirlos; los logros sonados son, exactamente, de los mismos días. Los menos interesantes entre estos literatos son los que, venidos muy tarde, sin nada nuevo que decir, quedan necesariamente desconectados. En estos momentos de romanticismo, más que nunca, son discernibles temperamentales parentescos contra los que la época, la educación, la edad misma nada pueden. Rivas, educado de manera muy diferente, estará siempre más cerca de Zorrilla que de Mesonero o Estébanez. Sin contar una curiosa "voluntad de emparentamiento" que se da en esta época más que en otras; la juventud era, más que rebelde, sumisa y mimética como pocas veces, antes o después, y la teatralidad del romanticismo facilitaba toda clase de simulaciones y aspavientos.

Los viejos, dominando con más facilidad las nuevas maestrías, han recabado definitivamente su independencia; de ellos han recibido los jóvenes enseñanzas, y tal vez de los fisiologistas franceses. Nada queda ya del "inmortal" Jouy, al que no veo citado sino una vez, y como erudito.[24] Las influencias y reminiscencias andan muy

---

dores de *Los españoles...* figuran a título profesional —Calvo Martín, tal vez Bonifacio Gómez— y su actividad habitual pudo ser ajena a la literatura. De J. J. Bueno, que tuvo influencia en la literatura sevillana de sus días, pueden verse curiosos datos en el libro de A. de Latour, *L'Espagne religieuse et littéraire,* París, Michel Lévy, 1863, págs. 307-336, donde se describe una de las academias que se celebraban en su casa.

Un grupo considerable de estos desconocidos, con otros que no lo son tanto, eran los colaboradores ordinarios u ocasionales de *El Laberinto,* revista publicada por Boix en aquellos mismos años; en ella encontramos a Calvo Martín, que escribe de materias profesionales, J. J. Bueno, siempre versos, Cueto, erudición; Ferrer del Río, que fue director de la revista en su segundo año; Tassara, Gil y Zárate, González Pedroso, Madrazo, Pérez Calvo, reportero y costumbrista; Rosell, Salas y Quiroga, Santana —o Santa Ana—, Gabino Tejado, con gran frecuencia, sobre todo al final; más raramente Auset, con un cuento en verso, Bonifacio Gómez, con dos artículos de historia, más tarde Albuerne, con una poesía. Es decir, repito: Boix asoció a la nueva empresa de *Los españoles...* a todos los colaboradores de su revista. Pero los más elusivos no están tampoco en ella.

[24] En el artículo de Andueza *El escritor público,* a propósito de los

mezcladas, y predomina con mucho la de Mesonero; así en *El cesante,* de Gil y Zárate (I, págs. 97 y sigs., sobre todo en el párrafo sobre el cesante literario, que recuerda algo que "El Curioso Parlante" había escrito en una entrega poco anterior, ibíd., pág. 66); así en *El hortera,* de Flores (ibíd., págs. 171-182), el pasaje sobre la tienda de telas; así en *El exclaustrado,* del mismo Gil y Zárate, en que se le cita junto a "Fígaro",[25] o en *El aprendiz de literato,* de Loma Corradi (ibíd., pág. 416), que recuerda un poco *El romanticismo y los románticos* y *Costumbres literarias.* V. de la Fuente menciona (y acababa de publicarse en el mismo volumen) *La patrona de huéspedes,* de Mesonero, "al que me refiero en caso de necesidad, como dicen los curiales" (II, pág. 232). El artículo sobre *El cómico,* de Pérez Calvo, parece contener reminiscencias de *Los cómicos en cuaresma;* y el de Anaya, sobre *El covachuelista* (ibíd., pág. 428), recuerda vivamente cosas como *1808 y 1832,* en su paralelo entre los viejos y los nuevos burócratas. Los rastros de Larra y Estébanez son mucho más raros. Hay algo de "Fígaro" en *El canónigo,* de Navarro Villoslada, que lo cita (II, pág. 49); algún recuerdo de *Los barateros, o el desafío y la pena de muerte,* en *El baratero,* de Auset (ibíd., pág. 130), sin que deje de rastrearse en el mismo algo que rememora el cuadro de *Pulpete y Balbeja* de Estébanez. Pero aquellos antiguos escritos eran eso, cuadros; ahora se piden fisiologías. Hay que componer de otro modo.

El examen de este nuevo estilo ha de ocupar forzosamente el mayor espacio en estas observaciones. Pero primeramente importa ver cómo se compone la sociedad española según *Los españoles pintados por sí mismos.*

* * *

Viejos y jóvenes son contestes en que nuestras costumbres desaparecen; no fueran costumbristas netos si no prorrumpieran en las consabidas quejas sobre la nivelación de la vida española y

---

orígenes del periodismo (I, pág. 210). Recuérdese que Mesonero ponía también muy alta la erudición de Jouy (cfr. *El aguinaldo, Escenas,* pág. 221).

[25] Descontando la cita de J. M. Tenorio, *El mendigo,* I, pág. 308, referida a la fundación del Asilo de San Bernardino.

su progresiva adulteración, las que ya oímos en boca de otros y oiríamos aún de los más tardíos. "...desde que dejaron de existir zorongos y redecillas, desde que ascendieron a pantalones los calzones de nuestros abuelos, ha ido degenerando de día en día aquella especial y vigorosa raza que, si todavía no reniega de sus peculiares instintos, poco o nada conserva de sus antiguos hábitos. Lo que llamamos pueblo bajo ha menguado en cantidad y calidad, como ha decaído en riqueza y prestigio la aristocracia. Las clases medias absorben visiblemente a las extremas... Ello es que ya no se encuentran por un ojo de la cara aquellos chisperos cuya siniestra catadura debe de estar muy presente en la memoria de Godoy, y aquellas manolas que santiguaban con una pesa de dos libras a los soldados de Murat."[26] Esto lo dice un hombre ya maduro, y uno de los más jóvenes colaboradores: "Merced a los muchos trastornos que los españoles hemos sufrido... nuestros tipos se hallan averiados, y se necesitan ojos de lince y un enorme catalejo para descubrir nuestras propias costumbres populares. Sólo una raza despreciada siempre por las otras razas y perseguida siempre por nuestras mismas leyes, ha conservado su primitiva originalidad."[27]

Nótese cómo de las palabras de Bretón se deduciría que esas "clases medias", que van absorbiendo todas las otras del país, en cuyos individuos se van acumulando todos los poderes y todas las actividades, merecerían toda la atención del que se propusiera estudiar las "costumbres" españolas. Desde Balzac, de ellas han salido la mayoría de los protagonistas de la moderna novela, aunque también la aristocracia, nueva o vieja, le haya prestado numerosos caracteres. Hubiérase esperado algo parecido en España, pero... esas clases "no tienen costumbres", como dirá más tarde Alarcón; es decir, no tienen carácter; es decir, no son pintorescas. En ellas se urden los más agudos dramas de la vida moderna, pero... no son pintorescas. Nuevamente se hace coincidir el carácter con lo pintoresco, con el modo de vivir, con los *usos*. Entendida de otro modo, aquella afirmación no tendría sentido. ¿Por qué no tendrían

---

[26] Bretón, *La castañera,* I, pág. 32. Cfr. V. de la Fuente, *El estudiante,* ibíd., pág. 226: "¡Qué gusto será... ver la calle ancha de San Bernardo convertida en país latino!"

[27] Sebastián Herrero, *La gitana,* ibíd., pág. 299.

carácter estas clases que han ido haciéndose en medio de la ruina del viejo régimen? (Galdós demostrará que sí tienen carácter, que hasta pueden ser pintorescas, ¡oh, las viejas tiendas de la Plaza Mayor, en *Fortunata y Jacinta*! Pero Galdós está aún muy lejos.) Podrá lamentarse la pérdida de la antigua estructura social, pero ¡cuánto más dramática no es la vida vertiginosa que de aquella ruina ha surgido! Balzac tampoco sentía ternura por esta sociedad ávida, sin ideales y sin escrúpulos, y al estudio de ella dedicó su vida, y le debe sus mejores logros. Pero el desenvolvimiento de la sociedad francesa parecía operarse desde dentro; era francés; el de España... desde Francia. Éste era el toque. En España, los escritores de la época de que nos ocupamos miran la sociedad de reojo porque no hallan en ella nada genuino. Éste es el punto crucial del costumbrismo español: lo español. Lo español empieza a no ser aquello que se encuentra primariamente en la realidad española, sino lo que puede retrotraerse a un pretérito determinado. Así, lo español no se da en la España moderna como una plena esencia; es algo residual, cuando no un detritus. La única esperanza de hallar algo genuino la despierta el bajo pueblo, cuando no se lo busca en fenómenos esporádicos y anómalos, o entre gentes allegadizas, venidas en aluvión sobre nuestra tierra, que sólo al "pintoresquismo" podían interesar, como los gitanos. Apenas parece necesario decir que no habrá novela en España hasta que no se supere este punto de vista, que no se diferencia gran cosa del adoptado por los más frívolos descubridores de la España de pandereta, mal vista entre nosotros cuando era cosa de extranjis. Frente a una realidad jerarquizada de tal modo, el más genial novelista nada podría hacer, a menos de rehacer *Carmen* indefinidamente, lo que era también vitando.

Nada de extraño tiene que en *Los españoles pintados por sí mismos* predominen los tipos populares, vistos en Madrid o en las diferentes provincias; gente que no vista a la europea, que habite en cuchitriles; alguna vez, tipos extrasociales o francamente fuera de la ley. Este mundo parece compuesto por el torero, el barbero, la criada, la nodriza, el aguador, la lavandera, el alguacil, la gitana, el mendigo, el cochero, el calesero, el cartero, la celestina, la comadre, el sereno, la posadera, la cigarrera, el celador de barrio, los buhoneros, el portero, el ciego; en cierto modo, la doncella de labor. Estos tipos están observados, generalmente, en Madrid, pero muchos de ellos acuden de las provincias acuciados por la necesidad. Figuras típicas de plebe madrileña son la castañera y la maja; tipos provincianos sin localización precisa, el alcalde de monterilla, el clérigo de misa y olla, la cantinera, el guerrillero, el grumete, el ventero, el mayoral de diligencias; a ellos hay que añadir los extraídos de una realidad regional bien determinada, entre los que predominan los andaluces: el charrán (Málaga), el demanda o santero, la casera de corral, el seise de la Catedral (Sevilla), el patrón de barco (costa de Cádiz);[28] los buhoneros, aunque no se dice así, han sido estudiados en la provincia de Granada, y el contrabandista, de seguro, en el campo andaluz. *El hospedador de provincias,* de Rivas, ha sido probablemente visto en la de Córdoba. Otras regiones dan: el choricero (Extremadura), el pastor trashumante, el maragato (León), el segador, el gaitero (Galicia), el indiano (Santander). Si a esto se añaden los tipos francamente al margen de toda sociedad, pero que del bajo pueblo han salido: el presidiario, el bandolero, el baratero, el ratero, la mujer del mundo, resulta que una buena mitad de los modelos pertenecen a las clases más humildes. Pero aún hay más curiosidades que notar: de los seis artículos que estudian medios clericales, tres al menos se refieren a tipos subalternos y modestísimos: *El ama de cura,*[29] *El sacristán, El exclaustrado,* sin contar *El clérigo de misa y olla,* ya citado. La administración y la curia se presentan con mejor tono, pero no faltan los retratos de *El pretendiente,* de *El cesante,* de *El ejecutor;* y *El alguacil,* de rancia estirpe, no podía faltar. La milicia está vista en *El retirado* —pobre diablo que prefigura el Don Modesto Guerrero de Fernán— y en *La viuda del militar,* y esto es todo. Los cuerpos enseñantes no nos ofrecen sino la famélica fauna de los dómines.

---

[28] El artículo de S. Herrero sobre el patrón de barco recuerda un poco por el ambiente uno de los de Giménez Serrano, *De Jerez a Cádiz,* publicado el mismo año, y creo que con anterioridad, en el *Semanario Pintoresco,* 1843, VIII, pág. 77.

[29] Este artículo de Tenorio, que nada tiene de demasiado crudo, provocó réplicas: *Contestación al número "El ama de cura", de "Los españoles...",* Madrid, 1843.

Y aún habría que añadir a todos estos tipos los equívocos de un proletariado rampante o de gentes proletarizadas: la patrona de huéspedes, el escribiente memorialista,[30] el ama de llaves, el hortera. Hasta la vida literaria y artística, que tan pocas figuras nos da, no deja de ofrecer una de escaleras abajo, el avisador. Se diría que de esta redacción se ha apoderado un verdadero vértigo de empequeñecimiento; apenas una figura aristocrática, salvo ciertos rasgos de *La señora mayor,* de Madrazo, y *El diplomático,* de Salas y Quiroga. La sociedad un poco refinada no presenta aquí más que figuras equívocas; la coqueta, la marisabidilla, con otras caricaturas que pueden agregárseles: el anticuario, la politicómana. Toda la *élite* nacional está reducida a ciertos personajes políticos (el ministro, el senador, el diputado a Cortes) y a sospechosos seres del mundo de los negocios (el agente de Bolsa y algún otro que acoge Mesonero en sus *Tipos hallados*), con degeneraciones siniestras, como el usurero, o ridículas como *El accionista de minas,* de Madrazo. Apenas se salvan algunas profesiones, cuya caracterización se ha confiado a miembros de la facultad (*El médico*); ante otras, un respeto ancestral ha impedido la denigración (*La monja*).

Este es el sumario aproximado de tanto papel impreso. La impresión que dejan los dos volúmenes es que la española es una sociedad sin cabeza ni corazón que va dando tumbos. Lo que interesa en ella son los residuos de un carácter que ha ido borrándose y desapareciendo, y que sólo se rastrea en algunas gentes desharrapadas y perdidas. Una inmensa nostalgia de lo pasado armoniza los artículos de escritores de las más opuestas tendencias, *El exclaustrado,* de Gil y Zárate; *El retirado,* de Gabino Tejado; *La monja,* de V. de la Fuente, exhalan el mismo suspiro. En este mar proceloso que es España flotan sucios jirones de una grandeza extinta —ellos piensan en la grandeza moral, no en la grandeza política—, jirones que nadie quiere recoger porque, ¡ay!, para nada sirven. Liberales y reaccionarios concuerdan en ese tono jeremíaco. Nótese que en *El patriota,* de I. de Castilla, la palabra que designa el tipo tiene un matiz irónico; no hay otro patriotismo que el que

---

[30] V. antes ,pág. 77, la mención de otro *Memorialista,* por Giménez Serrano, también de 1843; *Semanario Pintoresco,* VIII, pág. 185.

afectan los demagogos bullangueros. Las solas excepciones son los artículos de aquellos que, sin esta preocupación obsesionante, torcedor de todos los españoles del siglo XIX y grave rémora de nuestro progreso, se dan alegremente a la tarea de estudiar tipos vitalmente viables, humildes o no; así los de Enrique Gil, tan instructivos, tan ricos de detalle, tan desinteresados en el desempeño.

El conjunto es desalentador. Para que nada falte, ahí está el recuerdo de la guerra civil, latente o patente; Eugenio de Ochoa, que conocía bien aquellos medios, ha podido escribir con toda latitud del emigrado y del español fuera de España. *Los españoles pintados por sí mismos,* libro altamente representativo, debe figurar en la larga lista de escritos cáusticos que, inspirados por una honda crisis de nacionalidad, ligan la obra de Larra con la de los más altos espíritus de la segunda mitad de aquel siglo y con los escritores del 98.

* * *

Con estos supuestos, no podía haber novela, decíamos, ni siquiera cuento. Sin embargo, vale la pena examinar algunos métodos de captación del detalle, pintoresco o no, y ciertas fórmulas de composición que más tarde pudieron beneficiar aquellos géneros. Desde luego, en *Los españoles...* es inútil buscar intimidad humana, inútil preguntar cómo *son* estos seres, qué ideas los guían, qué sienten, cómo aman y cómo sufren o gozan. Todo se ve por fuera. Cuando un autor nos muestra lástimas (*El exclaustrado, El retirado, La viuda del militar*) se refiere siempre a fenómenos sociales pasajeros, y al *fenómeno social,* más que al ser humano, que es su víctima. Se refiere a seres anómalos, destacados por su anomalía misma, y casi siempre lo hace de un modo vago y genérico. Una vez más, los *modos de vivir* son lo que cuenta, que no los *modos de ser,* cosa que hubiera sido necesario ir a estudiar en individualidades, proceder vitando. Alguna vez, un autor ha sido bastante inteligente para hacerse cargo de lo que hacía, aunque no lo fuese tanto que, comprendiendo las consecuencias, revisara los métodos. Tratando de la nivelación social traída por la existencia moderna, Juan de Capua dirá que "las necesidades de todos los pueblos organizados" son "idénticas casi sin excepción, y los *modos de vivir* de sus individuos no tan arbitrarios que se cimenten fuera del terreno de éstos".[31] La observación, que hubiera podido ser mejor expresada, justifica que sea el estudio de aquellos modos a lo que se fije la atención del fisiologista, y a lo que tienen de extraindividual en cada caso, de genérico. Como los moralistas anteriores no han tenido bastante en cuenta " las diferencias de tiempos, de circunstancias y opiniones, que tanto influyen en los hábitos, usos y costumbres de los hombres",[32] ahora se propende más bien a exagerar en sentido contrario, olvidando que todo aquello vale por el interés que nos inspiren los seres así condicionados.

Como muchas ideas que han de fructificar luego y están ya en el aire, algunos colaboradores de *Los españoles...* comienzan a entrever que un solo personaje bien dibujado y hondamente comprendido en su ser y en sus circunstancias explica el género y el *tipo* mejor que cuantas generalizaciones puedan hacerse. "Como todos los anticuarios se parecen entre sí, tanto como las bellotas de una misma encina, para dar a conocer a la clase basta retratar un individuo, y yo me propongo hacerlo así, procurando que la exactitud de parecido sea tanta como si el retrato estuviera sacado al daguerreotipo."[33] No lo hace así Ilarraza —su artículo está tan alejado de este propósito cuanto pueda imaginarse—, pero éste era el camino.

De un modo general, podrían clasificarse los artículos en dos grandes grupos, según observen o ignoren este principio; ni que decir tiene que los que lo observan son los que de alguna manera se aproximan a lo que, con la mayor latitud, podemos considerar como cuento. En último término es el temperamento de los autores lo que decide el método que adoptan, y el que, por encima de todo sistema literario, los arrastra hacia algo que a la ficción se asemeje. En *Los españoles pintados por sí mismos* predominan con mucho las fisiologías, por tanto las vaguedades genéricas, sin

---

[31] J. de Capua, *El usurero*, II, pág. 295. Lo subrayado está así en el original.

[32] J. M. Tenorio, *El ama de cura*, I, pág. 54.

[33] Ilarraza, *El anticuario*, I, pág. 406.

que falten las exposiciones monográficas de severidad casi científica, los excelentes artículos de Enrique Gil, por ejemplo;[34] y, sin embargo, en algunos de ellos algo como un cuento está a punto de salir, el contorno y las circunstancias de un personaje bastante preciso están eficazmente indicados, y sólo la insuficiencia del enfoque frustra el logro; así *El clérigo de misa y olla,* de don Fermín Caballero, al que bastarían pocos retoques para quedar convertido en un cuento hecho y derecho, en el sentido moderno de la palabra.

En un libro como *Los españoles...,* en gran parte especulación editorial que explotaba una moda, los rasgos de moda, ciertos giros y fórmulas de los primeros modelos, entonces considerados como ingeniosos, no podían faltar. Uno de los más frecuentes es esa manera de introducción que parodia las clasificaciones de la botánica o de la zoología, cosas todas que ya observábamos al ocuparnos de Balzac, de quien hicieron las delicias. Algunos de estos autores pudieron tomarlas de Balzac mismo o de otros fisiologistas franceses, pero de otros colaboradores es constante que se atuvieron al ejemplo de Larra;[35] así Navarro Villoslada, que por él se justifica,[36] y tal vez algún otro. Todo esto son bromas, pero ni siquiera falta quien haga en serio algo parecido. Cueto, que había de acabar en erudito, derrocha erudición al explicarnos etimológica y léxicamente el origen del jugador (II, pág. 81); quizá no sea ajeno a todo ello el ejemplo de Jouy, que ya mezcló erudición y costumbrismo.

El detalle parece nimio; sin embargo, él explica el falso enfoque de muchos de estos artículos: el *tipo* es expuesto *more zoologico,* y el autor, o debe seguir escribiendo en abstracción pura, o debe romper la línea de su exposición, de modo que esos preliminares

---

[34] V. antes, pág. 92.

[35] *La planta nueva, o el faccioso* (1883), *El hombre globo* (1835), *Obras,* II, págs. 98, 310.

[36] "Dejando aparte este enfadoso estilo botánico-herbolario que debe fastidiar a los lectores que recuerden al inimitable Fígaro..." (N. Villoslada, *El canónigo,* II, pág. 49). V. otra descripción tipo "hombre globo" en I. de Castilla, *El patriota,* II, pág. 137. Rasgos parecidos de menos clara filiación en Gil y Zárate, *El cesante,* I, pág. 98; Caballero, *El ejecutor,* ibíd., página 262; J. Juárez, *El contrabandista,* ibíd., pág. 423.

no sirven para nada, si no es para llenar algunas páginas y hablar menos de un asunto sobre el que ocurre poco que decir. Tal o cual vez, el autor se hace cargo de la inconsecuencia y la justifica como puede;[37] lo más frecuente es que un artículo quede así distinto en dos mitades, y que sólo la segunda, que puede ser un retrato de buena ley, nos interese ahora. El romanticismo favorecía esta técnica digresiva, que iba a sobrevivirle, de que no es raro encontrar ejemplos en los mayores escritores del tiempo y que no desaparecerá del todo hasta el día en que un nuevo *realismo,* más atento, y más desinteresado en el estudio de las cosas y los hombres, postule la estricta objetividad como condición necesaria de la pulcritud artística del relato. Entre nosotros, el gusto de la digresión y el humor románticos perduraron más de lo razonable, y ni siquiera el ejemplo de los naturalistas franceses consiguió desarraigarlo por completo. Aquel imperativo de objetividad, que conducía a una más severa economía del relato, a una técnica de coordinación y armonía más estricta y presuponía la mayor abnegación por parte del autor, no fue observado nunca por Alarcón, siempre resabiado por ciertos hábitos contraídos en su juventud, ni por Valera, que nada tuvo que ver nunca con el romanticismo, pero que gustó de explayar sus filosofías más de la cuenta, ni por Pereda y Galdós, ni aun por "Clarín" y la Pardo Bazán. Nuestros novelistas han cedido siempre a un prurito invencible de abandonar por momentos el mundo de realidad que van creando o recreando para decir en nombre propio cuanto les pasa por el magín, venga o no a cuento. La estricta observancia del precepto naturalista no es dogma de fe, y una linda cabriola del novelista puede ser bien recibida, pero era preciso un genio quevedesco para hacer tolerables algunas de ellas, y las más eran mero expediente para salir del paso.

Pasemos a aquellos artículos de *Los españoles...* que pueden interesarnos en primer lugar. Es curioso que el autor que mejor ha sabido urdir un breve y sabroso relato con el pretexto de des-

---

[37] "...he podido lograr que medio vislumbres el origen del protagonista de nuestro drama y darte a conocer las creencias que son causa impulsiva de sus modales y costumbres. Ahora voy a sacarlo a escena" (Tenorio, *El mendigo,* I, pág. 304).

cribir un tipo sea el más viejo de todo el grupo, el Duque de Rivas. Rivas es uno de los numerosos casos de novelista despistado por el romanticismo; novelesco en alto grado es *El moro expósito,* novelesca es *Florinda,* y muchos de los *Romances* hubieran podido ser excelentes cuentos. Todos aquellos asuntos, referidos en prosa, hubieran incorporado al autor al movimiento de la novela histórica, y es posible que hubieran superado lo que de ella tenemos en España. Las dos aportaciones del Duque a *Los españoles...* son sus únicos relatos de acaecimientos contemporáneos. *El hospedador de provincia* es un pequeño esbozo de intención análoga a la de *El castellano viejo,* más flojo de líneas, porque el autor supone sucedidos *posibles* más que relatar uno determinado. Pero *El ventero* (II, páginas 159 y sigs.), despojado de los preliminares "fisiológicos" que inútilmente lo recargan, es una narración excelente de una aventura del autor, contada con mucho garbo y llena de carácter.[38] Los mejores elementos novelescos que ofrecía aquella revuelta época están en este cuadro eficazmente explotados, y todo nos hace lamentar que don Ángel no dedicara a otros semejantes mucho del tiempo que debieron de costarle tantas piezas inertes.

Con anécdotas está compuesto igualmente el artículo de Pedro de Madrazo *La señora mayor* (II, págs. 349 y sigs.), anécdotas unificadas por el carácter que centra la composición. Estas anécdotas son a veces tales que no es posible generalizarlas; no es posible que el autor creyera que un episodio como el del matrimonio apresurado fuese aplicable a todas las "señoras mayores". La singularidad de este personaje hace que se destaque fuertemente de la floresta de abstracciones en que yace sumergido. El autor era entonces joven, pero no de los más jóvenes (27 años), y no puede ser sólo inexperiencia literaria lo que hace parecer este artículo un cuento mal compuesto. Está empero en la línea de lo que serán

---

[38] Boussagol, *Ángel de Saavedra, Duque de Rivas,* Toulouse, Privat, 1926, pág. 109 n., ha aportado el testimonio fehaciente de que la anécdota referida es recuerdo de una aventura del autor ocurrida con ocasión de su fuga a Portugal a la caída del ministerio Istúriz. Ya Valera observaba, refiriéndose a estos cuadros y otros escritos en prosa, de Saavedra: "Si se hubiera dedicado a escribir novelas, hubiera sido novelista de gran mérito" (*Don Ángel de Saavedra...* (1889), *Obras,* ed. Aguilar, II, pág. 752).

más tarde, de lo que quizá eran ya, aunque inéditas, ciertas producciones de Fernán Caballero. Ignoro si el autor, que había de ser muy amigo de ésta, y prologó alguno de sus libros, la conocía ya por estas fechas; se diría que hay algo de ella en algunos rasgos de esta "señora mayor" que retrata. (Doña Cecilia tenía 46 años cumplidos cuando ese escrito se publicó.) "La aristócrata es comúnmente recogida y devota..., pasa el día entero en su casa... Posee en grado sublime el arte de argüir y se complace en chafar despiadadamente a todo mozalbete petulante;[39] inclínase por lo general a la bella literatura y compone para su recreo comedias y novelitas de costumbres que se leen con aplauso en las tertulias nocturnas de su casa. Es caritativa..."[40] Las mismas líneas citadas muestran cómo el cuento tiende a descomponerse por exigencias de lo típico; después de haber referido incidentes que sólo podían convenir a un individuo bien destacado, Madrazo se pierde en clasificaciones y salvedades.[41]

En la misma línea está *El retirado,* de Gabino Tejado, otro de los jóvenes (25 años), artículo en que no hay ningún intento de tipificación, ni siquiera uno de esos exordios fisiológicos que estropean tantos otros. El autor se limita a contar la vida de un hombre, y, como si tuviera conciencia clara de que sigue un rumbo diferente al de la mayoría de sus colegas, rotula el trozo final: "Apéndice a esta novela histórica." Aunque la suya no lo fuese, he aquí en evidencia un tipo novelable. Pero algo parecido tenemos en *El exclaustrado,* obra de uno de los más viejos colaboradores, Gil y Zárate (50 años); otro relato, en forma autobiográfica esta vez, de una humilde vida. Y estos tipos entran, en efecto, en la novela que está formándose: algo como el retirado es el Don Modesto Guerrero, de *La Gaviota,* y como un eco de *El exclaustrado* parece oirse en *Las ruinas de mi convento,* de Patxot, sin contar otras varias figuras

---

[39] El P. Coloma lo supo muy a su costa; v. *Recuerdos de Fernán Caballero,* Madrid, s. a.: págs. 60-61 (*Obras completas,* XVI).

[40] *La señora mayor,* II, pág. 358.

[41] En el mismo caso está *El celador de barrio,* al que las inflexiones satíricas quitan rigor y precisión, pero que, por los incidentes que contiene, está muy cerca del cuento (II, pág. 375). No puede decirse tanto de *El accionista de minas* (II, pág. 338), caricaturesco por demás.

de Fernán mismo. No pretendemos señalar "fuentes", sólo indicamos que, tan pronto como uno de estos tipos es tratado de modo conveniente, se escapa a la novela, que es su centro. Algunos parecen retenidos a la fuerza en las fisiologías de tipo canónico.

Ocurre a veces que nos parece leer un cuento para reparar muy luego en que el autor, por preferencias literarias comunes a casi todos los costumbristas, ha escogido una fórmula de composición anticuada y poco acorde con lo que una de esas breves ficciones era ya o podía ser. Ya vimos cómo Vicente de la Fuente se envejecía por la virtud de sus afinidades literarias; algo parecido podría decirse de Bonifacio Gómez, que creo poder incluir en el grupo de los jóvenes, aunque ignoro absolutamente quién fuese. Su *Alguacil* comienza como si hubiera de ser una narración de sucesos bien determinados, ocurridos a personajes destacados como conviene, pero la visión del tráfago ciudadano está expresada según una técnica "asmodeo-zambullesca" que difícilmente podría contarse entre los hallazgos literarios más recientes. En *El escribano*, del mismo autor, tenemos una de esas mezclas de ensayo y cuento que eran tan del gusto de la época, pero aun en ese artículo la historia de Don Judas, que llena doce páginas, es uno de los trozos de *Los españoles...* que más legítimamente podríamos llamar cuento, aunque dentro de límites muy vagos.

No es posible proceder aquí a la clasificación de los artículos de este libro, uno por uno. He de limitarme a señalar algunos tanteos más o menos felices. Lo general es que datos utilizables por el novelista o por el cuentista aparezcan como desleídos, desconectados, sin unificar,[42] o que el cuento resulte "flojo", como otros de Mesonero que hemos visto, es decir, sin claro enfoque.[43] Esta falta era a veces inevitable si el autor, haciéndose cargo de la imposibilidad de componer un solo personaje con rasgos de todos sus congéneres, presentaba varios distintos, uno tras otro, y toda unidad

---

[42] Así, por ejemplo, en *El demanda o santero*, de J. M. Tenorio, I, pág. 433, o en *La casera de corral*, del mismo, II, pág. 21.

[43] Como los de Salas y Quiroga, *El diplomático*, II, pág. 198, y como *La viuda del militar*, ibíd., pág. 249. Podría decirse de ellos que son cuentos tontos, cuentos a los que no "se les ve la punta".

que no fuese la del *tipo* desaparecía. Así, Hartzenbusch, cuando quiere explicarnos cómo es el ama de llaves, advierte: "el expediente mejor para que se comprenda todo lo que *por término medio* cabe en este brevísimo término de *ama* será referir sencillamente dos biografías de dos amas." Así lo hace, y termina: "Casi a estos dos ejemplares pueden reducirse el nacimiento, vida, pasión y muerte de la generalidad de las amas... Entre el porte, mañas, carácter y aspecto de Cándida y Armengola está el de todo el resto de las amas de llaves..."[44] Se podría obtener un cuento de cada una de esas biografías, y aun de las dos conjugadas, pero no de las dos contadas sucesivamente, como lo hace Hartzenbusch. El cuento exige un determinado contorno, bien delineado, que exceden o no alcanzan estos artículos. Como ocurre tantas veces entre costumbristas, lo más logrado es la evocación de ambientes y escenarios, y los esfuerzos hechos en este sentido hubieron de enriquecer las posibilidades de la novela. Cuando se trataba de cosas inertes, los procedimientos habituales no fallaban siempre, las tipificaciones podían ser eficaces, y luego Mesonero había enseñado a ver y registrar tantas cosas características... ¡Qué bien está aquella castiza barbería que describe Antonio Flores, salvajemente pintorreada, con su heteróclito menaje y sus estampas de Atala en las paredes! Lo que ya no está tan bien es el barbero, que tiene que ser él y todos los barberos posibles, efecto que el autor procura no estudiándolo en profundidad, sino palabreando con profusión.[45] Como estos costumbristas podían ser torpes, pero con frecuencia nada tenían de obtusos, el mismo Flores, que más tarde escribirá novelas, se da cuenta de la forzosa superficialidad de sus tipos, y así dirá de uno

---

[44] Hartzenbusch, *El ama de llaves,* I, págs. 129, 132.
[45] A. Flores, *El barbero,* I, págs. 20 y sigs. Algo parecido, aunque en menor medida, podría decirse de *El boticario* del mismo, II, págs. 391 y sigs., y de tantas otras cosas. V. en *La casera de corral,* de Tenorio, los párrafos que describen las habitaciones de la protagonista, II, págs. 24-25. En ocasiones, por no describir una realidad demasiado conocida, se alude meramente a lo que se hubiera debido, si no describir, evocar. Algo de esto había hecho ya Mesonero; no nos extraña volver a encontrarlo en artículos de más escaso valor que los suyos, como el de J. M. Albuerne, *El sereno,* II, pág. 209.

de ellos: "Este artículo ha seguido el mismo orden que las aleluyas del hombre universal, o las del hombre malo",[46] frase que parece un recuerdo de Mesonero. Eso parecían algunos de estos artículos cuando, aproximándose al cuento, narraban vidas; parecían aleluyas —que, no se olvide, en la lengua popular se llaman también *vidas*—.

Si un ambiente se *tipifica bien* —en este caso la singularidad no es siempre incompatible con lo típico, a menos que el procedimiento aparezca demasiado patente, como en el ejemplo de Estébanez que ya aduje—, el diálogo típico tiene sus quiebras. El autor destruye la ficción cuando nos da un detalle como algo meramente posible o que podría haber sido de otra manera. Por nimio escrúpulo de tipicidad, los costumbristas, sin exceptuar a Pereda, propendieron a esto: una escena que esbozan, un grupo que componen, un diálogo que transcriben, han sido destacados a capricho. Y los autores lo dicen; como han seleccionado ese detalle, hubieran podido tomar otro cualquiera. *Ab uno disce omnes.* Entre los primeros costumbristas, Estébanez procedió así; no faltan ejemplos en artículos de *El Semanario Pintoresco,* no podían faltar en *Los españoles...* Una vez y otra leeremos: "Para entender esto a lo mejor voy a copiar un diálogo de los muchos de esta especie con que pudiera entretener al lector".[47] No estamos ante una realidad creada, no podemos penetrar en un mundo de ficción; se nos hace parar mientes en un pormenor cualquiera de este mundo en que vivimos. Imposibilidad de la novela.

Este espíritu analítico, que era el de la fisiología, no podía permanecer insensible a los modos de expresión de los diferentes tipos. Los autores no tenían medios para recoger y fijar nada característico en la manera de expresarse un personaje, pero sí todo lo que en el habla había de genérico. Los giros dialectales, tal cual acento regional, las jergas de ciertas clases sociales o extrasociales, el argot, encuentran atención despierta, pero rara vez consiguen transcripción exacta. Flores presta oído, más que Mesonero, al habla del pueblo

---

[46] A. Flores, *La santurrona,* I, pág. 151.
[47] Andueza, *La criada,* I, pág. 88; cfr. un diálogo de beatas en Flores, *La santurrona,* ibíd., pág. 148.

bajo de Madrid,[48] y tal o cual vez encontramos un rasgo dialectal curioso. Sobre todo es el andaluz convencional, que tan poca estima mereció de los novelistas andaluces,[49] el dialecto que más viciosamente se explaya en *Los españoles*..., tal vez en breves diálogos característicos (Herrero, *El patrón de barco;* Tenorio, *El demanda o santero;* Auset, *El baratero*), pero sobre todo en frases aisladas con las que estos autores caracterizan la mentalidad de sus personajes (Tenorio, *La casera de corral;* Juárez, *El contrabandista*) ; a todo lo cual habría que añadir el caló andaluzado de *La gitana,* de Herrero, y aun la jerga tauromáquica de *El torero,* de Rubí, especialista en esto del andalucismo. Esta jerigonza tauromáquica es un "dialecto andaluz" de todas partes, ya que lo afectan toreros y aficionados, andaluces o no. Frente a lo mencionado, apenas tienen importancia los escasos términos de pastoría leonesa recogidos por E. Gil y mucho menos la jerga de teatro en que tal vez se expresa Bretón al describir al avisador, y menos aún los tecnicismos de minería que emplea Madrazo.[50] De notar son, por último, los giros de argot recogidos por B. Gómez (*El presidiario, El bandolero*). Todo ello es significativo como tendencia, no por el logro que supone. La novela y el cuento tardaron aún muchos años en saber aprovecharse de los recursos del lenguaje hablado.

En un costumbrismo como el nuestro, tan atento a la vida popular, no podían omitirse ciertos detalles folklóricos. No abundan, con todo ; no hacen sospechar siquiera cuánto folklore va a acoger la novela de costumbres pocos años más tarde, desde la aparición de *La Gaviota,* y cuánto va a abusar de él. Hay mucho folklore gallego en *El gaitero,* de Neira de Mosquera, que sería un interesante cuadro si no estuviera escrito de un modo imposible (II, página 176) ; lo hay, y del mejor, en *El maragato,* de Gil. Pero los estudios de Gil, verdaderas monografías, no interesan sino muy de

---

[48] A. Flores, *La cigarrera,* II, pág. 327.

[49] V. sobre este asunto mi librito *Valera o la ficción libre,* Madrid, Gredos, pág. 218.

[50] *El accionista de minas,* II, págs. 338, documentado, según nota del autor, pág. 347, en los *Datos y observaciones sobre la industria minera,* de Joaquín Ezquerra.

lejos a la historia que nos ocupa. Tal vez, y este fenómeno sí es curioso, el carácter del personaje retratado ha podido construirse en cierto modo *sobre* un folklore, reuniendo el autor en torno a un ente de ficción rasgos folklóricos deducidos de tipos semejantes. Nótese, en el feroz artículo de Fermín Caballero *El clérigo de misa y olla* (I, pág. 190), el pasaje en que se aplican a este Don Zoilo, que Caballero inventa, mil cuchufletas referidas tradicionalmente a clérigos ignorantes, popularizadas de antiguo. Fernán Caballero no ignorará enteramente este modo de componer, que no es por cierto novelesco.

* * *

Dos palabras sobre las formas literarias que revisten estos artículos. Incidentalmente nos hemos referido a algunas influencias que pudieron pesar sobre ellos. La "modernidad", para la época, derivaba en gran parte de los modelos franceses; modernidad, como cosa de moda, muy poca moderna ya. No podían faltar ciertas reminiscencias clásicas; hemos señalado algunas que explican rasgos de *La celestina,* de Estébanez, de *El alguacil,* de Gómez; hemos recordado que en los artículos de Lafuente suele ir diluida mucha picaresca.[51] A un recuerdo de Vélez de Guevara, si no de Lesage, puede referirse la técnica de *La colegiala,* de García Doncel (II, pág. 283), en que la falta de matices y lo chato y pobre de las moralejas acentúan aún el carácter pseudoclásico. Naturalmente, estos mínimos detalles no significan gran cosa; son, con todo, un indicio de lo mal que se comprendía la antigua tradición, que todos pretendieron seguir en lo que tuvo de más accidental, pasajero y externo. Lo "clásico", para estos autores, es sobre todo Cervantes, Quevedo, la picaresca. Lo demás no cuenta para nada. Quevedo y la picaresca se contaminaron tan hondamente de conceptismo, que el conceptismo pudo parecer de la esencia misma del género. No nos extrañe, pues, encontrarlo aquí de nuevo entre otros rasgos

---

[51] Además de lo ya citado, cfr. las situaciones y diálogos de *La posadera,* II, pág. 231.

de imitación antigua. El trabajar los más de los autores sobre pie forzado y el tener por tanto que valerse de mil expedientes para llenar su cometido —y el papel que les había sido asignado—; el tener que recurrir al ingenio allí donde no les bastaba su deficiente información, les incitaba a los malabarismos verbales cuando no era posible otra cosa. Véase este pasaje, por ejemplo (se trata del alguacil, gran tema viejo): "Otros avanzan hasta poner en duda su salvación, pero han trocado los frenos; ellos se han de salvar de la clase, que el alguacil por salvado puede tenerse. Él acompaña a los reos en su última hora; y de aquí se debió decir *la compañía del ahorcado;* nunca falta en las procesiones, por aquello de que tras de la cruz viene el diablo; y siempre va delante de las indulgencias, aunque por lo mismo nunca le alcanza alguna. Si es en el cumplimiento de su deber, ¿qué se les puede echar en cara? ¿Están encargados de hacer guardar el orden? Pues si no chocan con los alborotadores es porque harto *guardado* le tienen. ¿De evitar engaños? Por eso encarcelan a los buenos, porque sería el mayor engaño tropezar con un hombre de bien. ¿De perseguir a los criminales? Claro es que si los prenden dejan de perseguirlos... Si hablamos de los juicios de paz, ¿cuánto no sirven allí? Y sin embargo, al pobre que por falta de acompañado les elije como *hombres buenos,* bien se le puede decir que lleva *perdido el juicio...*"[52] Esto es quevedesco. Es curioso ver cómo el recuerdo de antiguas lecturas se insinúa en trozos relativos a fenómenos actuales. En *El bandolero,* del mismo autor que acabamos de citar, el diálogo del recién venido con el capitán y centinela de la partida tiene dejos de novela picaresca, no mal armonizados con el resto; en todo el artículo el argot se entrevera de germanía.[53]

Todos estos detalles proceden de artículos de autores discretos y relativamente cultos. Ninguna sorpresa nos deparan *Los españoles...* por lo que a la prosa se refiere, o muy pocas. La más trabajada es la habitual entre costumbristas, "castiza", con pretensiones arcaizantes. El apresuramiento no favorece en nada la de los más

---

[52] B. Gómez, *El alguacil,* I, págs. 259-260. Cfr. conceptos parecidos en *La prendera,* de J. Pérez Calvo, II, pág. 369.

[53] B. Gómez, *El bandolero,* II, pág. 93.

jóvenes, que escribían sin duda con premura de periodistas, que carecían de formación sólida, que no siempre conocían bien el castellano. Se encuentran disparates garrafales bajo la pluma de algunos: "Tanto el lujo exterior y *el materialismo* del despacho como la riqueza y laboriosidad que se advierte en algunas boticas..."[54] No hubiera dicho más el Torquemada de Galdós, pero sí tanto. Con todo, esto es un caso extremo; el nivel medio es decoroso. Si hubiera que destacar algún nombre, lo buscaríamos sobre todo en el grupo de los viejos, y quizá recayera nuestra elección en don Fermín Caballero, escritor de raza. De un modo general, estos artículos son índice diminuto del rango literario de sus autores. No hay sorpresas.

* * *

Los españoles pintados por sí mismos tuvieron un éxito memorable. Aún fueron reeditados en 1871 en Madrid (Biblioteca ilustrada de Gaspar y Roig), y las imitaciones abundan. De notar es que, entre éstas, las hay de carácter regional: *Los valencianos pintados por sí mismos,* Valencia, I. Boix, 1859;[55] *Las españolas pintadas por los españoles,* Madrid, 1871-1872; *Las mujeres españolas, portuguesas y americanas.* Madrid, 1873;[56] *Los españoles de hogaño,* Madrid, 1872.[57] Pero éxitos estériles ha habido, y el de *Los españoles...* no fue así. Su importancia en la historia de la novela española sería ya grande aunque la redujéramos a la influencia que sin duda ejerció sobre la obra juvenil de Pereda. Varios

---

[54] A. Flores, *El boticario,* II, pág. 391.

[55] Los colaboradores, casi sin excepción, son escritores locales cuya fama no pasó los límites de su provincia; lo mismo los tipos descritos —hay entre otros un artículo sobre "la vendedora de calabaza asada"— y, en general, pertenecen al bajo pueblo; no falta, empero, un retrato del aristócrata valenciano, por N. Villar. Puede verse el índice en Hidalgo y algunas muestras en Correa Calderón, II, págs. 216 y sigs.

[56] Para esta publicación se escribieron artículos importantes, como *La granadina,* de Alarcón, de corte fisiológico, con axiomas y todo, y el maravilloso *La cordobesa,* de Valera. Muestras ibíd., págs. 379 y sigs., entre ellas los artículos citados.

[57] Algunos artículos ibíd., págs. 504 y sigs.

tipos peredianos empiezan a dibujarse aquí. Ferrer del Río, al trazar
el carácter del indiano, ha hecho, de una manera pobre y mediocre,
ciertamente, como un primer esbozo de *A las Indias*. *El charrán*,
de Castañeira, es como un "raquero "de Málaga, y el santanderino
no disimula sus afinidades con *El grumete* y *El ratero*, tal como
los describen Ribot y Fontseré y Pérez Calvo; esto sin contar otras
modestísimas iniciaciones de temas y motivos que hacen prever
cómo sonará el pandero en manos que lo sepan tañer. Perediana
es ya la figura del alcalde de monterilla de Caballero, la de la alcal-
desa, la escena del cabildo. Entendámonos; no se trata aquí de
determinar "fuentes" de Pereda. Jamás pretenderemos, como lo han
hecho tantas veces los autores de historia literaria positivista, que
un motivo literario es una semilla que germina un día por la gracia
de Dios. La novela o el cuadro de costumbres peredianos son como
son porque Pereda es como es. Pero nos parece imposible atribuir
al azar el que tantos escritores anden a vueltas con asuntos que
han de encontrar más tarde expresión adecuada, y que unos y otros
convivan ignorándose. Diremos, con prudencia, que tales asuntos
están en el ambiente, al alcance del que sepa recogerlos, quien a
su vez ha podido tener noticia de ellos por tentativas previas, humildes y frustradas.[58] Y hay que tener en cuenta, además, la actitud
del público. Enfrentado con realidades de este orden, no las re-
pugnará en la novela; cuando se acostumbre a ver sin empacho,
dignificados literariamente, los seres y las cosas que le rodean, por
humildes que puedan ser, la novela original española, impensable
aún, comenzará a ser posible. La modesta, pero fecunda, obra de
Fernán Caballero saldrá a luz cinco años después de cumplirse la
empresa de *Los españoles pintados por sí mismos*.

---

[58] Sería curioso que *El exclaustrado*, de Gil y Zárate, hubiera dado
motivo a Patxot para escribir *Las ruinas de mi convento* (1857). Hay en el
prólogo de este libro párrafos extrañamente conformes, en tono y expresión, con aquel artículo. Cfr.: "¿Es un delito haber permanecido velando
junto a las cenizas de mis hermanos? ¿Hice mal recorriendo por algún
tiempo a la luz de la luna aquellos desiertos corredores, aquellos silenciosos
patios, aquellas profanadas aras?" Lo que aquí es pregunta retórica será en
Zárate puesto en acción. Verdad es que este tipo del exclaustrado es frecuente en la literatura de entonces; recuérdense los que aparecen en *La
Gaviota*, en *La Estrella de Vandalia*, en *Pobre Dolores*, etc.

VII

He escrito en otra ocasión que el costumbrismo de los autores que nos han ocupado ejerció sobre la novela española una influencia deletérea. Este es el momento de sustanciar la acusación. Fue así y no fue así. Es posible que la novela española, de tan tardío advenimiento por razones que he tratado de explicar en otra parte, se hubiera visto aún retrasada si el costumbrismo no hubiera contribuido a hacerla posible; es certísimo que éste, al hacerla viable, le impuso graves servidumbres de que se resintió siempre. El costumbrismo creó entre nosotros el gusto por la menuda documentación, pero hizo que ésta fuera formularia e inimaginativa. Enseñó a ver muchas cosas, pero siempre las mismas o poco variadas. Todo esto no hubiera sido tan nocivo si el costumbrismo, al incorporarse a ella, la hubiera dejado ser novela, si se hubiera mantenido en ella en una posición modestamente funcional, y los autores no lo hubieran desplegado lujosamente, haciendo gran caudal de él. El jugar las "costumbres" contra el corazón de los personajes desequilibró y malparó muchas novelas que hubieran podido ser excelentes.

Una de las razones de que nuestro costumbrismo fuera así es sin duda la mediocridad de sus inventores —pues Larra es mucho más y algo menos que costumbrista— pero sobre todo el que, por no ser éstos, o sólo las excepciones, novelistas, hicieran de él un cultivo tan especial y lo sacaran literalmente de quicio. Al cabo de pocos años, una ingente masa de escritos, de no mucho valor, vistos por separado, pero de gran peso por su inflado volumen, se interponía en el camino de la novela, quitando iniciativa a los novelistas y desviándolos por trochas y atajos más andaderos, de lamentable facilidad a veces. Cuando Mesonero nos da con tan porfiada insistencia el costumbrismo como sucedáneo de novela, lo que viene a demostrar es que, no sabiendo él hacerlas, se facilitó la empresa de simularlas trabajando sobre exterioridades bien a la vista, casi vacías de contenido. Pero no hemos de repetir aquí lo ya dicho sobre aquel patético jugar el maniquí contra el hombre. Quede esto aquí.

El que la mejor novela española acabara por ser la madrileña es una muy curiosa consecuencia de todo lo dicho. Dada la monomanía costumbrista por lo "genuino" y "castizo", el Madrid pintoresco se agota pronto, tanto más cuanto que, respecto a la corte, los costumbristas tenían razón: Madrid se extranjerizaba más aprisa que el resto de España. Aquel Madrid de la pequeña burguesía, extendida más y más por la burocracia, ya sin chisperos ni majas, "no tenía costumbres" y necesitaba un intérprete de otro temple que Mesonero para revelar su intimidad, de mucho más carácter, en definitiva, que la procacidad ruidosa de una manolería, despojada ya, además, de sus galas goyescas. La provincia seguía engañando a los noveladores con el oropel ilusorio de sus romerías y procesiones, deleznable fundamento para una novela, y lo regional ha estado por ello a la orden del día entre nosotros, lo sigue estando de cierto modo. Claro es que en alguna parte tienen que ocurrir las cosas, según observaba zumbonamente don Juan Valera, redarguyendo contra intempestivas alharacas regionalistas de Pereda; por el mero hecho de montar el autor sus escenarios en cualquier valle o montaña remotos, nadie debe mirar con recelo su novela. Novelas regionales excelentes ha habido, hay, habrá de seguro siempre. Pero lo son así cuando son *novelas,* cuando a la dosificación del necesario costumbrismo ha presidido una exquista prudencia, cuando ésta se ha hecho con tacto y tino, cuando las personas no se han tratado como maniquíes. En la provincia, los modelos tardaban más en agotarse, como los paisajes, y cuando los primeros se transformaban, seguían siendo vistos como algo peculiar y distintivo. Aquí, no siempre en beneficio de la novela, el costumbrismo no ha sufrido interrupción sensible.

Luego, hay la cuestión moral, una de las mayores rémoras que se han opuesto al buen novelar español, y esto desde el siglo XVII. Me interesa sumamente ser claro en esto, pues sobre ningún otro punto lamentaría tanto una interpretación torcida de lo que quiero decir. Ello es que según parece el español no ha sido nunca capaz de concebir otros estudios de moral que los normativos y perentorios. Por tanto, si un *roman de moeurs* se interpretaba como una novela moral, ya estaba el lío armado; el lector español había de pensar que esa novela iba a ser una especie de propaganda del Decálogo, y al no hallarlo así, se llamaba a engaño y tronaba, como Mesonero, contra los "falsos moralistas" derrocadores del Altar, del Trono, de la Sociedad y de otra porción de cosas que no derrocaron en efecto. Lo único que hicieron fue crear la novela moderna. La índole medrosica y pazguata de aquellos hombres no auguraba grandes logros a la novela, que ha de ir al encuentro de la vida, los ojos abiertos y sin miedo. No faltan en las novelas de la época que aquí nos ocupa mención de crímenes, pecados y vicios; no faltan, antes menudean, en la obra misma de Fernán Caballero, a donde nadie iría a buscarlos, pero están tratados de tal modo que casi se preferiría que la novela o relato en cuestión se mantuviera dentro de los límites de la novela rosa, sosona y tontaina. Al cabo, lo que parece es que todos creen que, si se incide en esos asuntos, es más moral hacerlo mal que hacerlo bien.

Si no el único culpable de esta preocupación que tanto cortó las alas a la novela, pues se diría que todos creyeron que estudiar la génesis, desarrollo y consecuencias de una falta era cometer la falta, el costumbrismo contribuyó mucho a que tanto tardara en disiparse. Ya vimos el parecer de Mesonero y de algún colaborador del *Semanario Pintoresco*. Con estos supuestos, la novela no tiene tampoco porvenir hasta que figuras tan dispares como Valera y Galdós le quitan, por decirlo así, el miedo.

Pero no se entienda por esta condenación de aberraciones evidentes, hoy, para nosotros, que el buen proceder crítico haya de consistir en barrer fuera de nuestra historia literaria el costumbrismo, relegándolo al limbo de los intentos abortados. Cuando un escritor de genio se apodera de sus instrumentos y los maneja bien, los logros pueden ser magníficos. Todo el que sea capaz de admirar el prodigioso comienzo de *Fortunata y Jacinta* se hará cargo de que aquello tal vez no fuera así sin la precedencia de Mesonero, pero reflexionará en que la gigantesca medida que ha cobrado este arte no es sólo resultado de la enseñanza de "El Curioso", sino de que un gran novelista mueve ahora la pluma. Aun reducido el costumbrismo a sus auténticas, modestas proporciones, aunque su influjo en la novela no haya sido siempre muy feliz, lo que aquellos ingenios obtuvieron no nos es hoy del todo indiferente. Creo notar en estos últimos años un redoblado interés por estas páginas amarillentas y deleznables, tan evocadoras a veces. Con frecuencia cada día mayor se ven en periódicos y revistas reproducciones de aquellos dibujos tan lindos de Alenza, de Esquivel, de Ortego —a veces los grabados son mejores que los textos—, y los textos mismos no dejan de reimprimirse. Una publicación como la tan excelente de Correa Calderón no hubiera sido posible si no se hubiera presupuesto con algún motivo cierta simpatía, tan nostálgica como irónica, por parte de un público bastante extenso.

Las páginas que anteceden habían de limitarse, como ya explicamos, dados mis escasos medios de información, al estudio de algunos autores y libros señeros; no constituyen una historia puntual de aquel movimiento. Hay mucho que exhumar aún, y esas exhumaciones serán para el que las emprenda tarea más placentera que la que aquí nos impusimos. Los escudriñadores podrán darse el gusto de reproducir tal vez páginas egregias perdidas en el terrible osario de los viejos periódicos. Lo que no creo es que esos investigadores descubran muchas novedades *históricas* distintas de las aquí expuestas. La historia del costumbrismo es simple, o al menos yo no hallo en ella grandes misterios. Hasta que la perspectiva generacional del público y del historiador no cambie, pienso que las grandes líneas del movimiento son las aquí trazadas. No hubo más.

ÍNDICE GENERAL

SE ACABÓ DE IMPRIMIR ESTE LIBRO
EL DÍA 4 DE OCTUBRE DE 1965 EN
LOS TALLERES DE ARTES GRÁFICAS
SOLER, S. A., DE VALENCIA (ESPAÑA)